Crédits photographiques

Maquette intérieure et de couverture
Guylaine et Christophe Moi

Mise en page
Alinéa

Recherche iconographique
Chantal Hanoteau

Cartographie
Hachette Éducation

Photogravure
King

© Hachette Livre, 2001 — 43 quai de Grenelle, 75905 Paris cedex 15
I.S.B.N. 2.01.16.7909.5

ATLAS junior

DIDIER MENDIBIL
Maître de conférences en géographie à l'I.U.F.M. de Créteil

MICHEL SOLONEL
Professeur de géographie à l'I.U.F.M. de Créteil

Illustrations
CHRISTOPHE ROUIL

Sommaire

Le jour et la nuit 4

Se repérer sur la Terre 6

Voir et représenter
la Terre autrefois 8

Voir et représenter
la Terre aujourd'hui 12

Une terre de roches 16

L'eau sur la Terre 18

Les milieux naturels de la Terre .. 20

Le monde du froid polaire 22

Vivre dans le monde polaire comme
à Illulissat, Groenland, au printemps,
autrefois et aujourd'hui 24

Le monde tempéré 26

Vivre dans le monde tempéré
comme dans la Drôme, France,
autrefois et aujourd'hui 28

Le monde de la chaleur aride 30

Vivre dans le monde de la chaleur
aride, comme à Nazwa, Oman,
autrefois et aujourd'hui 32

Le monde de la chaleur humide 34

Vivre dans le monde de la chaleur
humide, comme à Bornéo, Indonésie,
autrefois et aujourd'hui 36

Les océans 38

L'Europe 40

La population 42
Le relief 44
Les milieux de vie 46

L'Asie 48

La population 50
Le relief 52
Les milieux de vie 54

L'Amérique 56

La population 58
Le relief 60
Les milieux de vie 62

L'Afrique 64

La population 66
Le relief 68
Les milieux de vie 70

L'Océanie 72

La population 74
Le relief 76
Les milieux de vie 78

Le monde d'aujourd'hui 80

Les richesses du monde 80
Riches et pauvres 82
Un monde d'échanges 84
La planète menacée 86
Un seul monde ? 88

Index 90

Lexique 92

Les États,
les drapeaux
du monde 93

Le jour

Voici la Terre, vue à la verticale du pôle Nord, à la fin du mois de septembre. Les photographies qui l'entourent montrent l'heure qu'il est, au même moment, à différents endroits du monde lorsqu'il est 12 heures à Londres au méridien de Greenwich qui donne l'heure universelle, appelée G.M.T.

TERRE DE BAFFIN, CANADA
il est 06.00 heures G.M.T.
(latitude 66° nord, longitude 90° ouest)
Excursion matinale vers le cercle polaire arctique.

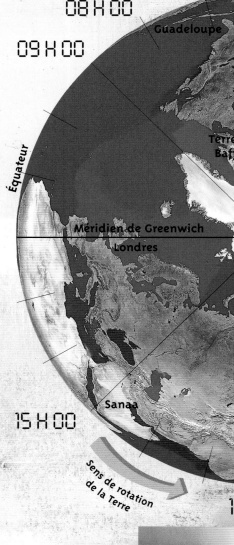

ÎLE DE LA GUADELOUPE, FRANCE
il est 08.00 heures G.M.T.
(latitude 16° nord, longitude 61° est)
C'est l'heure de l'école.

08 H 00

09 H 00

Guadeloupe

Équateur

Terre de Baffin

OBSERVATOIRE DE GREENWICH À LONDRES, ROYAUME-UNI
il est 12.00 heures G.M.T.
(latitude 52° nord, longitude 0°)
La ligne tracée au sol marque l'emplacement du méridien de Greenwich (G.M.T.).

12 H 00

Méridien de Greenwich
Londres

SANAA, NORD YEMEN
il est 15.00 heures G.M.T.
(latitude 15° nord, longitude 45° est)
Après la sieste, l'activité reprend.

Sanaa

15 H 00

Sens de rotation de la Terre

C'est parce que la Terre tourne sur elle-même en 24 heures que jours et nuits se succèdent et que les heures changent : il est toujours minuit quelque part et il est toujours midi quelque part. L'heure d'un lieu indique sa position sur la Terre et par rapport au soleil.

La nuit

05 H 00

Las Vegas

03 H 00

LAS VEGAS, ÉTATS-UNIS
il est 05.00 heures G.M.T.
(latitude 35° nord,
longitude 105° ouest)
Les machines à sous
fonctionnent 24 heures sur 24.

le Nord

00 H 00

QUELQUE PART
DANS L'OCÉAN PACIFIQUE...
il est 00.00 heure G.M.T.
(latitude ? nord,
longitude 180°)
La croisière s'amuse
de franchir la ligne
de changement de date.

Kyoto

21 H 00

KYOTO, JAPON
il est 21.00 heures G.M.T.
(latitude 35° nord,
longitude 135° est)
Il fait nuit, mais certains
travaillent encore.

agong

CHITTAGONG, BANGLADESH
il est 18.00 heures G.M.T.
(latitude 23° nord,
longitude 92° est)
Coucher du soleil sur
le tropique du Cancer.

Pour se repérer sur la Terre...

Pour se repérer sur la terre, les hommes ont imaginé et défini quelques repères fixes, des points et des lignes, comme les parallèles et les méridiens.

Parmi ces lignes imaginaires, on trouve l'équateur, qui fait le tour de la Terre (40 000 km), à mi-chemin des deux pôles. Il sépare donc la Terre en deux hémisphères. Sa latitude est de 0°.

Les parallèles sont des lignes imaginaires parallèles à l'équateur. Ils découpent la Terre en rondelles. Ils font le tour de la Terre et portent tous un numéro : c'est la latitude. Plus ce numéro est grand et plus le parallèle est éloigné de l'équateur.

Les méridiens sont des cercles imaginaires qui passent tous par les deux pôles. Ils découpent la Terre en quartiers. Les numéros inscrits sur les méridiens indiquent la longitude : celle du méridien de Greenwich est de 0°.

Comme le pôle Nord, le pôle Sud est un point fixe qui tourne sur lui-même en 24 heures.

... et y projeter les contours des continents

La représentation la plus fidèle de la Terre est celle d'un globe. Mais, ce n'est pas la plus pratique. Les cartographes ont donc projeté les contours des continents sur une surface plane. Inconvénient, selon la projection choisie, on n'obtient pas les mêmes déformations de la Terre. Cet atlas présente différentes projections.

Certaines projections que l'on trouvera dans l'atlas.

Une projection polaire
carte page 22

Une projection polaire permet de représenter la Terre vue à partir d'un pôle.

Une projection cylindrique
carte page II

carte page 85

PÔLE NORD

Il est juste sous l'étoile polaire.

Ça fait trop de plis sur les bords.

Elle doit être bien parallèle à l'équateur.

Évidemment, il faudra aussi en faire une, vue du pôle Sud.

Les bords ne coïncident pas tous exactement.

Sur cette carte, on voit le monde entier...

... mais les zones froides sont très déformées.

Ne faites pas de trop petits morceaux, on s'y perd !

Il y a beaucoup de découpages possibles.

Il faut plusieurs cartes pour faire un monde !

7

Voir et représenter la Terre autrefois

À pied ou en bateau, il n'était pas facile d'avoir une vision globale du monde. Chaque civilisation a pourtant construit sa carte de l'univers, jour après jour, morceau après morceau, avec le souci constant de conserver le souvenir précis des explorations réalisées.

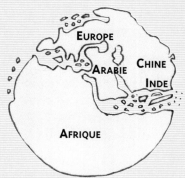

UNE CARTE DU MONDE DESSINÉE D'APRÈS LA CARTE DU GÉOGRAPHE ARABE DU XIIe SIÈCLE AL-IDRISI.

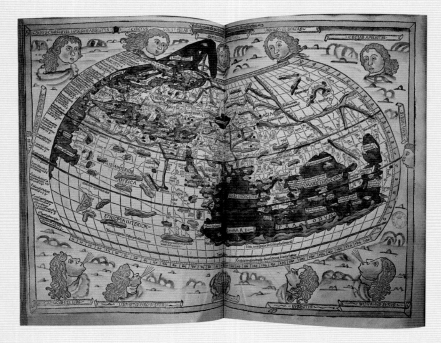

UNE CARTE DU MONDE DESSINÉE EN EUROPE EN 1482

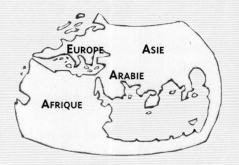

UNE CARTE DU MONDE DESSINÉE EN EXTRÊME-ORIENT EN 1402 PAR CHUAN CHIN ET LI HUI

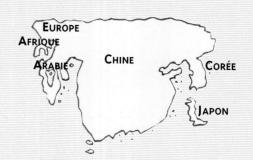

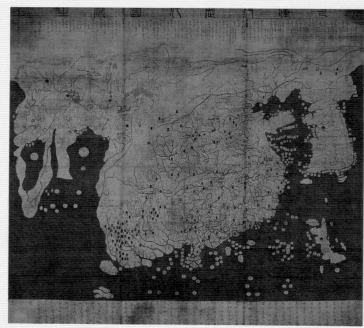

8

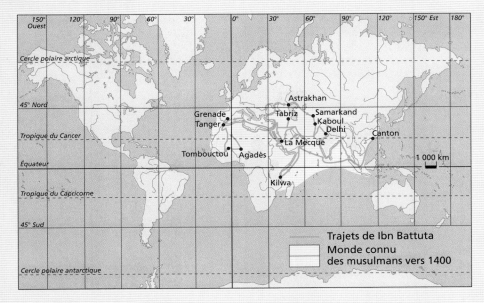

LES VOYAGES D'IBN BATTUTA (1304-1377) ET LE MONDE CONNU DES ARABES VERS 1400

La curiosité du géographe marocain Ibn Battuta s'est détournée de l'Europe vers l'Orient à cause des guerres entre musulmans et chrétiens. Ses voyages l'ont conduit le long des côtes d'un monde arabe centré sur la mer Rouge et sur le golfe Persique.

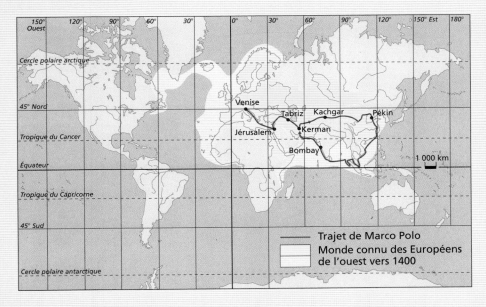

LE VOYAGE DE MARCO POLO (1254-1324) ET LE MONDE CONNU DES EUROPÉENS VERS 1400

En 1298, Marco Polo, commerçant de Venise, publia des descriptions précises de la Chine dans son récit de voyage. Si les Vikings en avaient fait autant après avoir débarqué au Labrador deux siècles plus tôt, leur découverte de l'Amérique n'aurait pas été oubliée.

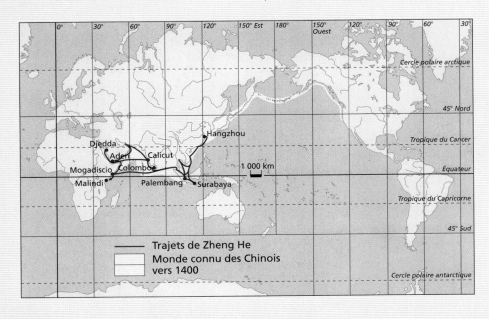

LES VOYAGES DE ZHENG HE (1371-1435) ET LE MONDE CONNU DES CHINOIS VERS 1400

Cet amiral chinois dirigea ses navires de préférence vers les eaux chaudes de l'équateur où il rencontrait des marchands indiens et arabes. Mais en allant vers le nord, d'autres navigateurs ont sans doute longé les côtes de l'Amérique.

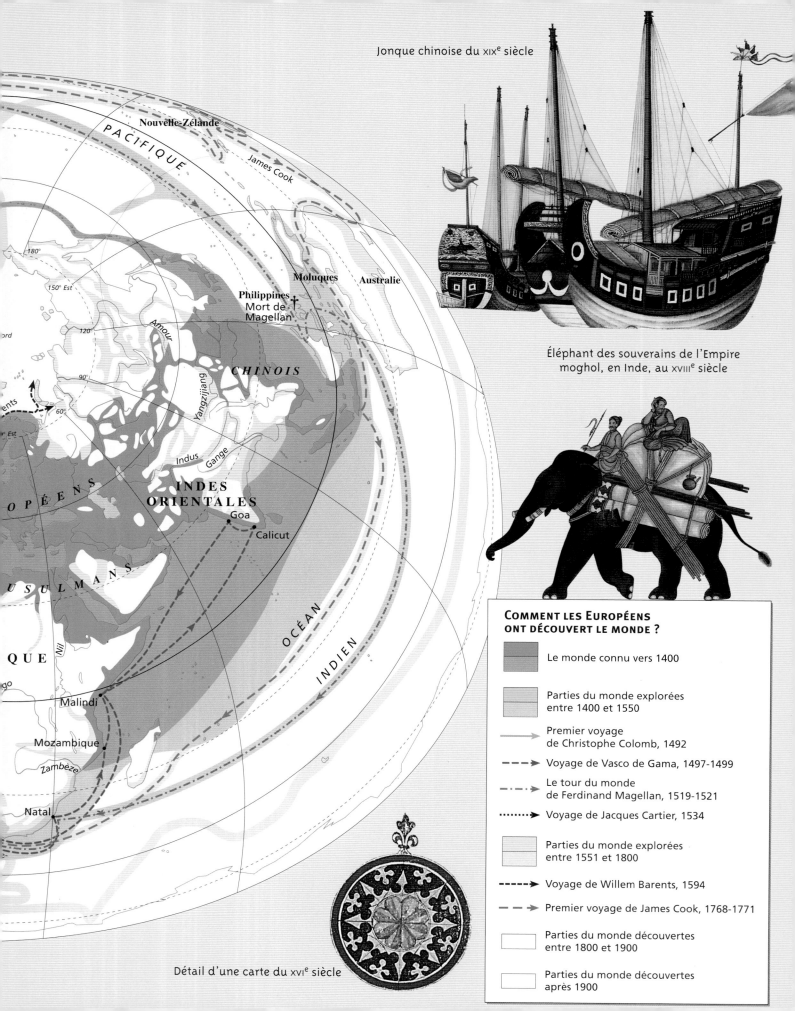

Jonque chinoise du XIXᵉ siècle

PACIFIQUE

Nouvelle-Zélande

James Cook

180°

150° Est

Moluques   Australie

Philippines
Mort de
Magellan

Amour

120°

CHINOIS

Yangzijiang

90°

Indus   Gange

rd

60°

INDES
ORIENTALES

Goa

Calicut

OPÉENS

°Est

USULMANS

OCÉAN

INDIEN

QUE   Nil

Malindi

Mozambique

Zambèze

Natal

Éléphant des souverains de l'Empire
moghol, en Inde, au XVIIIᵉ siècle

Détail d'une carte du XVIᵉ siècle

**COMMENT LES EUROPÉENS
ONT DÉCOUVERT LE MONDE ?**

Le monde connu vers 1400

Parties du monde explorées
entre 1400 et 1550

Premier voyage
de Christophe Colomb, 1492

Voyage de Vasco de Gama, 1497-1499

Le tour du monde
de Ferdinand Magellan, 1519-1521

Voyage de Jacques Cartier, 1534

Parties du monde explorées
entre 1551 et 1800

Voyage de Willem Barents, 1594

Premier voyage de James Cook, 1768-1771

Parties du monde découvertes
entre 1800 et 1900

Parties du monde découvertes
après 1900

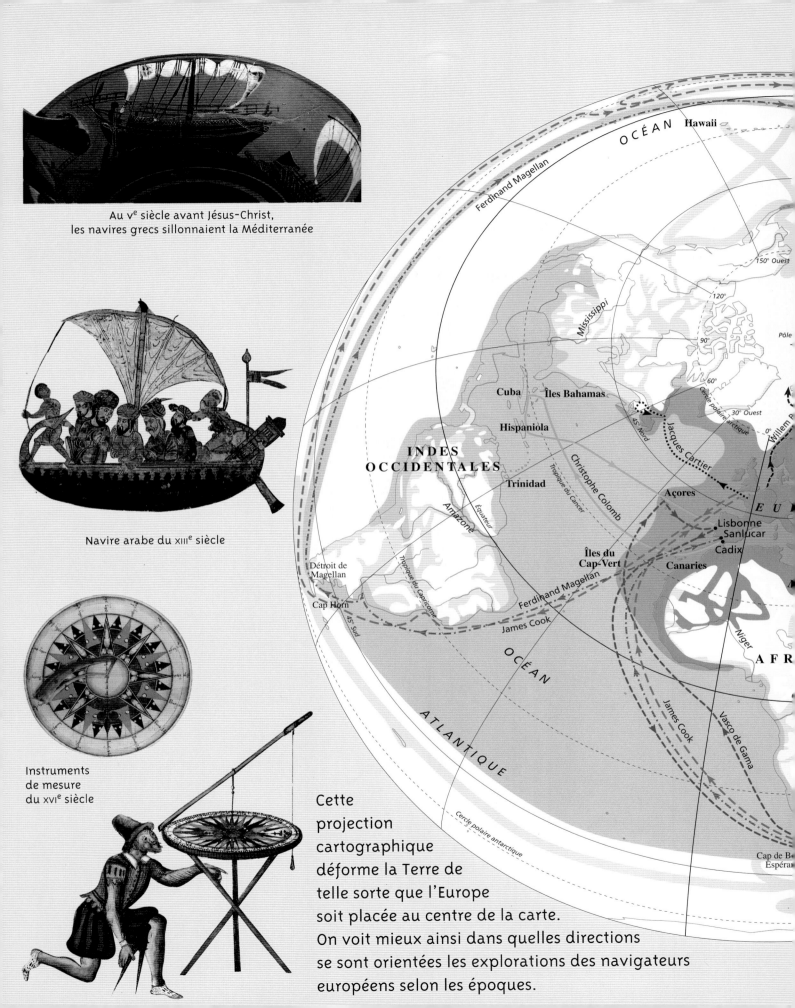

Au Ve siècle avant Jésus-Christ,
les navires grecs sillonnaient la Méditerranée

Navire arabe du XIIIe siècle

Instruments
de mesure
du XVIe siècle

Cette
projection
cartographique
déforme la Terre de
telle sorte que l'Europe
soit placée au centre de la carte.
On voit mieux ainsi dans quelles directions
se sont orientées les explorations des navigateurs
européens selon les époques.

OCÉAN   Hawaii

150° Ouest

Ferdinand Magellan

120°

Mississippi

90°

Pôle

60°

Cercle polaire arctique

45° Nord

Jacques Cartier

30° Ouest

Cuba   Îles Bahamas

Hispaniola

0°

Willem P

INDES
OCCIDENTALES

Trinidad

Christophe Colomb

Tropique du Cancer

Açores

Équateur

Amazone

E U

Lisbonne
Sanlúcar
Cadix

Îles du
Cap-Vert

Détroit de
Magellan

Tropique du Capricorne

Ferdinand Magellan

Canaries

N

Cap Horn

45° Sud

James Cook

Niger

OCÉAN

A F R

ATLANTIQUE

James Cook

Vasco de Gama

Cercle polaire antarctique

Cap de B
Espéra

Voir et représenter la Terre aujourd'hui

Dans un atlas géographique, on utilise surtout deux moyens pour représenter la Terre : des photographies et des cartes. Dans les deux cas, il faut choisir des points de vue, des cadrages et des grossissements qui permettent aux lecteurs de bien voir ce qu'on veut leur montrer dans les images.

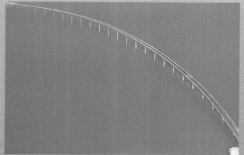

Ici, c'est un long pont,

... courbe, en béton armé,

... qui franchit un bras de mer.

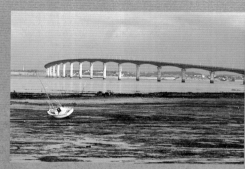

Il décrit un long virage sur l'eau...

... entre le continent et l'île de Ré.

La Terre est bien sphérique.
On le savait depuis longtemps…
Si vous en doutiez encore,
en voici un début de preuve…
par l'image !

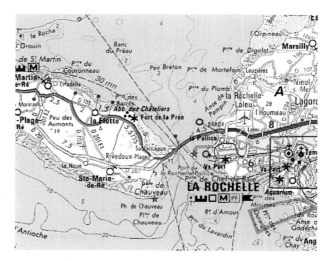

CARTE TOPOGRAPHIQUE au 1/250 000ᵉ
(1 millimètre = 250 mètres)
Cet extrait de carte montre l'agglomération
de La Rochelle et la moitié de l'île de Ré :
on comprend mieux l'utilité du pont.

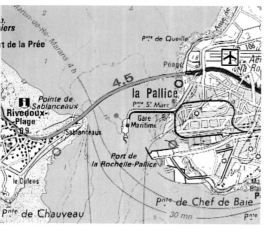

CARTE TOPOGRAPHIQUE au 1/100 000ᵉ
(1 millimètre = 100 mètres)
Cet extrait de carte montre tout
le pont et le bras de mer
qu'il franchit : on y voit bien
la forme particulière du pont.

◄ **CARTE TOPOGRAPHIQUE au 1/25000ᵉ**
(1 millimètre = 25 mètres)
Cet extrait de carte montre
l'extrémité du pont sur l'île de Ré.

Depuis plus de trente ans, on utilise des satellites pour faire
de la télédétection et donc des cartes spécialisées montrant
de grands espaces : les plus connues de ces cartes sont
celles de la météorologie.

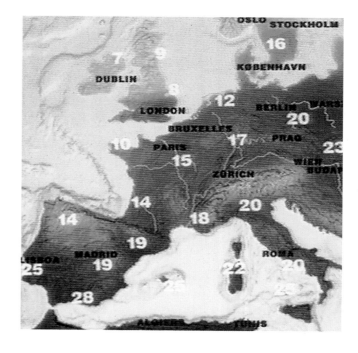

Le dessin des cartes se fait maintenant
à l'aide de photographies aériennes.
L'Institut Géographique National (l'I.G.N.) fabrique
des cartes topographiques qui présentent différents
grossissements de la surface de la Terre. Le même lieu
peut donc être représenté par plusieurs cartes mais
pas avec la même précision.

Satellite de télédétection Spot

Falcon de l'I.G.N.

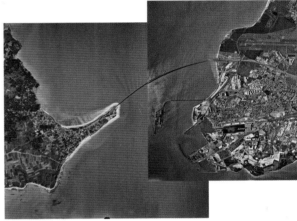

VUE AÉRIENNE au 1/100 000ᵉ
(1 millimètre = 100 mètres)
Il faut deux photographies
pour voir le pont en entier.

VUE AÉRIENNE
au 1/25 000ᵉ
(1 millimètre =
25 mètres)
On voit la trace
du courant
sous les arches
du pont.

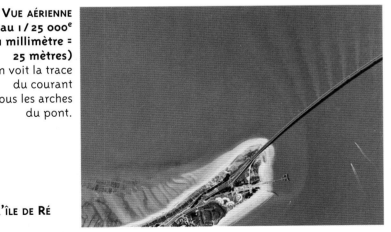

PONT DE L'ÎLE DE RÉ
VU...
... et dessiné du bord
de la mer.

Une terre de roches

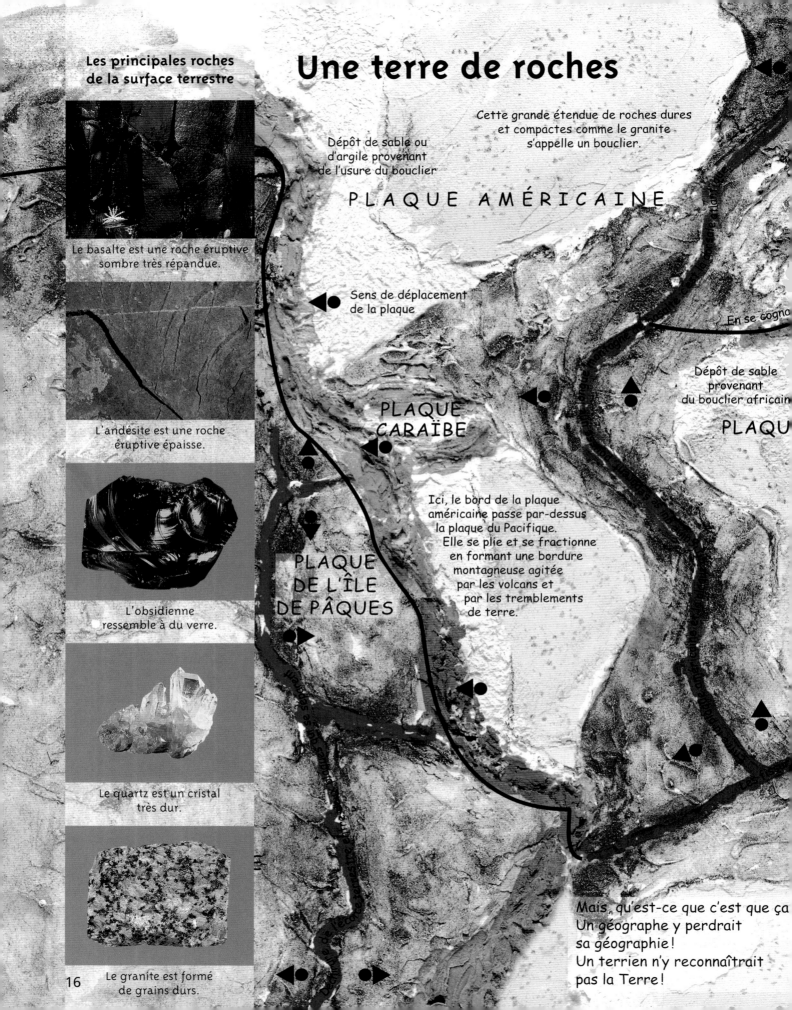

Les principales roches de la surface terrestre

Le basalte est une roche éruptive sombre très répandue.

L'andésite est une roche éruptive épaisse.

L'obsidienne ressemble à du verre.

Le quartz est un cristal très dur.

Le granite est formé de grains durs.

Cette grande étendue de roches dures et compactes comme le granite s'appelle un bouclier.

Dépôt de sable ou d'argile provenant de l'usure du bouclier

PLAQUE AMÉRICAINE

Sens de déplacement de la plaque

En se cogna

Dépôt de sable provenant du bouclier africain

PLAQU

PLAQUE CARAÏBE

Ici, le bord de la plaque américaine passe par-dessus la plaque du Pacifique. Elle se plie et se fractionne en formant une bordure montagneuse agitée par les volcans et par les tremblements de terre.

PLAQUE DE L'ÎLE DE PÂQUES

Mais, qu'est-ce que c'est que ça Un géographe y perdrait sa géographie ! Un terrien n'y reconnaîtrait pas la Terre !

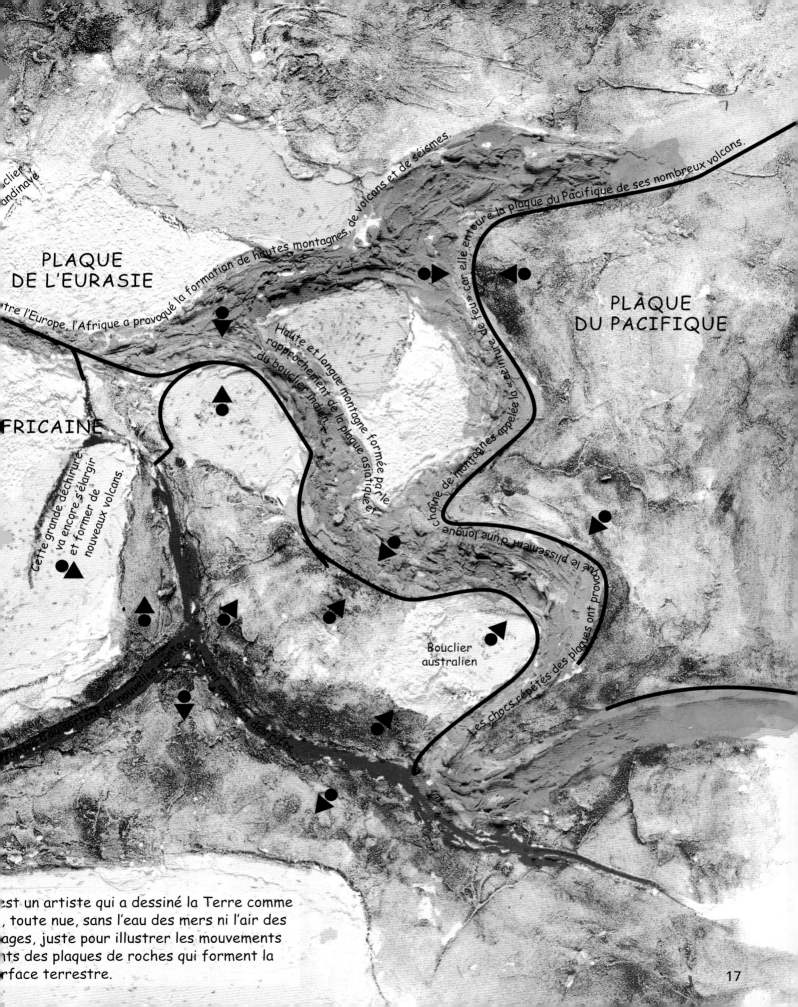

PLAQUE DE L'EURASIE

PLAQUE DU PACIFIQUE

...clier ...andinave

...tre l'Europe, l'Afrique a provoqué la formation de hautes montagnes, de volcans et de séismes.

...car elle entoure la plaque du Pacifique de ses nombreux volcans.

Haute et longue montagne formée par le rapprochement de la plaque asiatique et du bouclier Indien.

...chaîne de montagnes appelée la « ceinture de feu »...

...provoqué le plissement d'une longue...

...FRICAINE

Cette grande déchirure va encore s'élargir et former de nouveaux volcans.

Bouclier australien

Les chocs répétés des plaques ont provoqué...

...fonds transparent de nouvelles montagnes... son appelées des rifts

...est un artiste qui a dessiné la Terre comme
..., toute nue, sans l'eau des mers ni l'air des
...ages, juste pour illustrer les mouvements
...nts des plaques de roches qui forment la
...rface terrestre.

17

L'eau sur la Terre

L'eau de mer recouvre les trois-quarts de la surface terrestre.

Il y a 3 % d'eau douce et 97 % d'eau salée sur Terre.

Les trois-quarts de l'eau douce sont sous forme de neige ou de glace.

Solide, gazeuse, liquide sont les trois formes de l'eau.

Dès que l'eau s'est évaporée commence le désert.

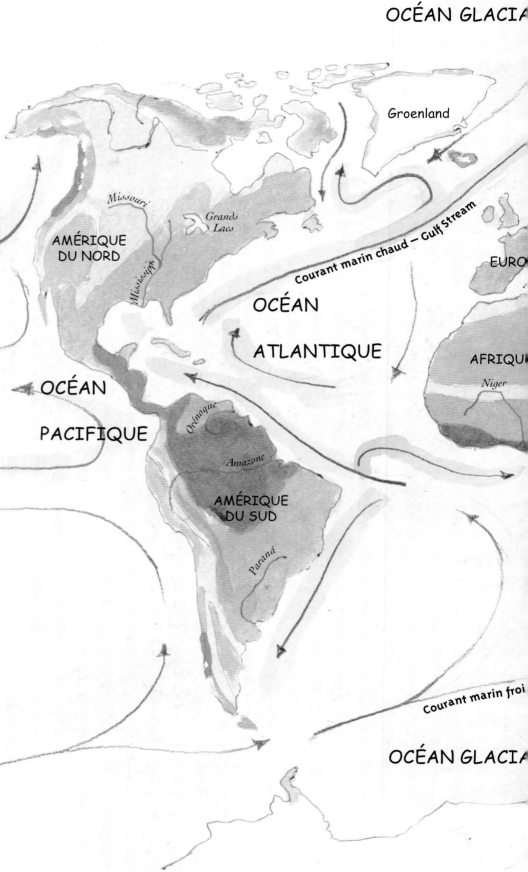

OCÉAN GLACIA

Groenland

Courant marin chaud – Gulf Stream

EURO

AFRIQU

Niger

Missouri

Grands Lacs

AMÉRIQUE DU NORD

Mississippi

OCÉAN ATLANTIQUE

OCÉAN PACIFIQUE

Orénoque

Amazone

AMÉRIQUE DU SUD

Paraná

Courant marin froi

OCÉAN GLACIA

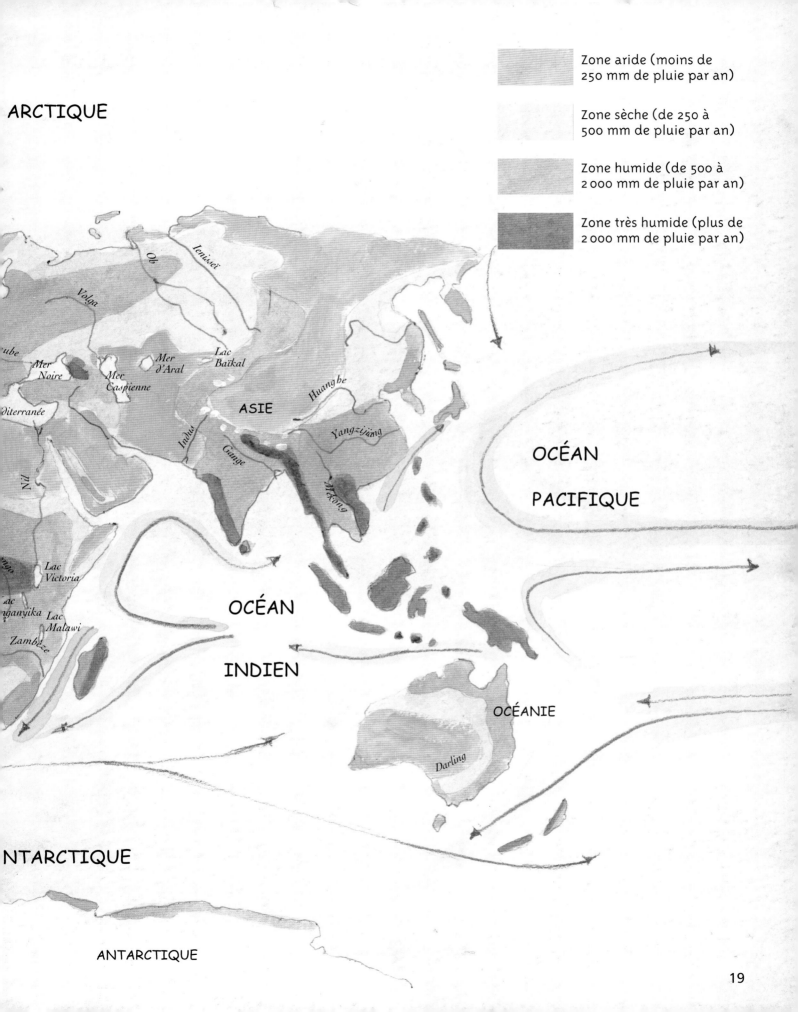

ARCTIQUE

Zone aride (moins de 250 mm de pluie par an)

Zone sèche (de 250 à 500 mm de pluie par an)

Zone humide (de 500 à 2 000 mm de pluie par an)

Zone très humide (plus de 2 000 mm de pluie par an)

Ob

Ieníseï

Volga

ube

Mer Noire

Mer Caspienne

Mer d'Aral

Lac Baïkal

diterranée

Nil

Indus

Gange

ASIE

Huanghe

Yangzijiang

Mékong

OCÉAN

PACIFIQUE

go

Lac Victoria

ac

nganyika

Lac Malawi

Zambèze

OCÉAN

INDIEN

OCÉANIE

Darling

NTARCTIQUE

ANTARCTIQUE

19

Les milieux naturels de la Terre

Les lichens résistent bien
aux milieux froids.

Les milieux tempérés favorisent
la croissance des hêtres.

Les feuilles de l'aloès s'adaptent
aux milieux chauds et secs.

Il faut un milieu chaud et humide
pour que poussent les banians.

Les mélèzes résistent au froid
humide des montagnes.

Les milieux froids

Les milieux tempérés

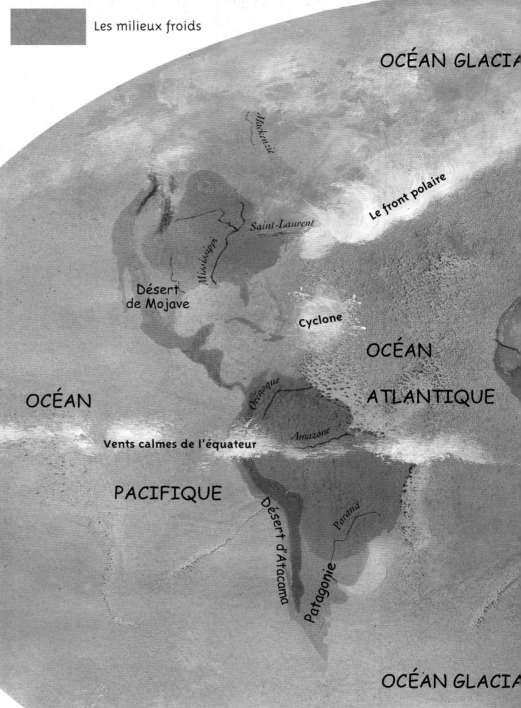

OCÉAN GLACIA

Mackenzie

Le front polaire

Saint-Laurent

Mississippi

Désert
de Mojave

Cyclone

OCÉAN

ATLANTIQUE

OCÉAN

Orénoque

Amazone

Vents calmes de l'équateur

PACIFIQUE

Désert d'Atacama

Paraná

Patagonie

OCÉAN GLACIA

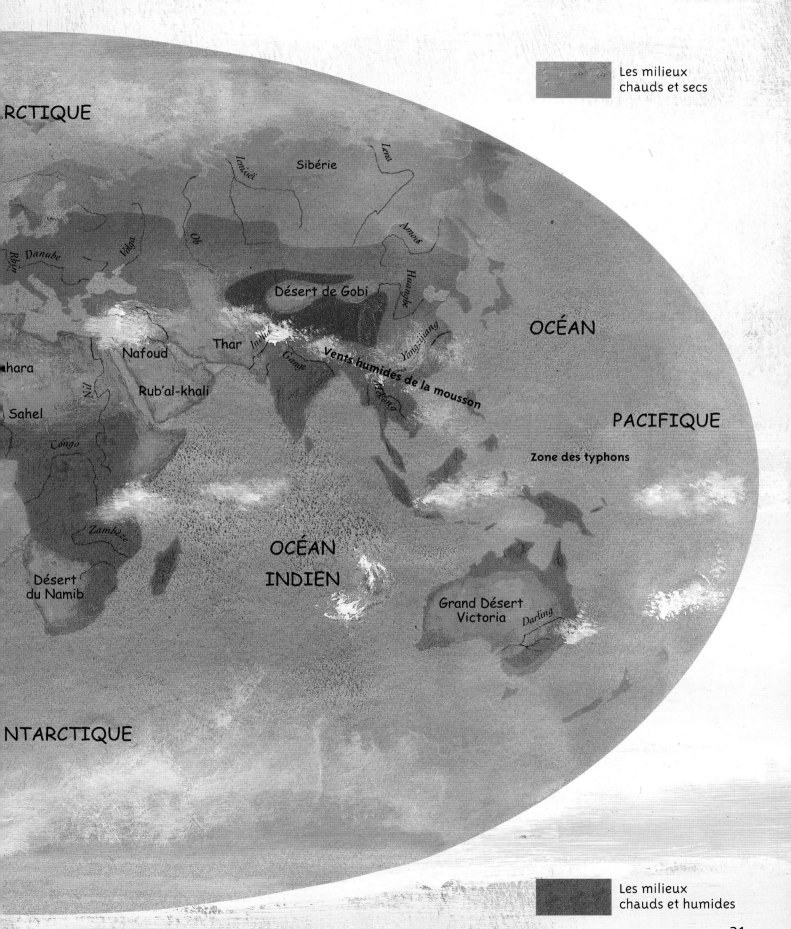

RCTIQUE

Sibérie

Lena

Iénisséi

Ob

Amour

Volga

Rhin

Danube

Désert de Gobi

Huanghe

OCÉAN

Thar

Indus

Nafoud

Gange

Vents humides de la mousson

Yang-tjiang

hara

Nil

Rub'al-khali

Mékong

Sahel

PACIFIQUE

Congo

Zone des typhons

Zambèze

OCÉAN

INDIEN

Désert
du Namib

Grand Désert
Victoria

Darling

NTARCTIQUE

Les milieux
chauds et secs

Les milieux
chauds et humides

21

LE MONDE DU FROID POLAIRE

Peu d'hommes vivent dans la zone polaire : environ 150 000 dans l'Arctique et seulement quelques centaines dans l'Antarctique, uniquement en été. La longue nuit hivernale et l'intensité du froid limitent la vie végétale aux quelques mois d'été, là où le sol n'est pas couvert de glace. Les animaux et les hommes vivent mieux au bord de la mer car l'eau profonde, moins froide, est une réserve de nourriture. Les moyens techniques modernes ont changé la vie des habitants de cette zone.

Problème technique : pour couler dans l'oléoduc, le pétrole de l'Alaska doit être chauffé. Mais la chaleur peut faire fondre le sol gelé et l'affaisser, provoquant la rupture du tuyau. C'est pour cela qu'il n'est pas enterré et qu'il est constamment refroidi par des ventilateurs.

Phoques et morses sont protégés du froid par une épaisse couche de graisse.

Pôle Nord

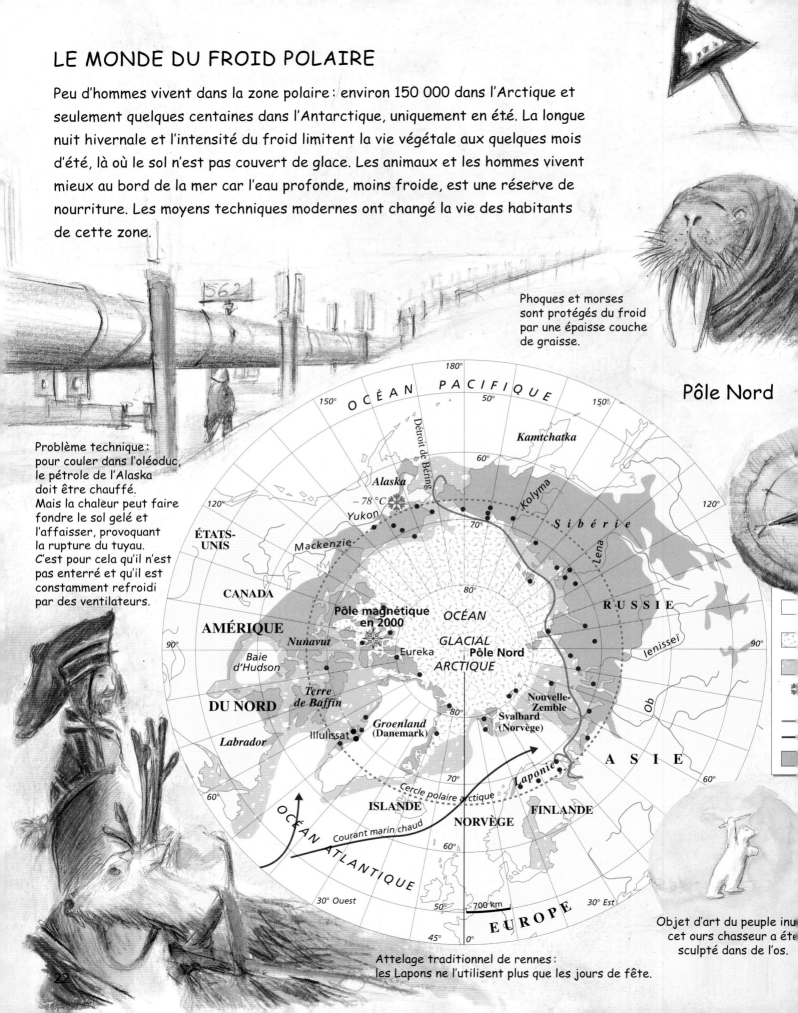

OCÉAN PACIFIQUE

Kamtchatka

Détroit de Béring

Alaska
− 78 °C

Yukon

Kolyma

Sibérie

ÉTATS-UNIS

Mackenzie

Lena

RUSSIE

CANADA

AMÉRIQUE

Nunavut

Pôle magnétique en 2000

OCÉAN GLACIAL ARCTIQUE

Pôle Nord

Ienisseï

Eureka

Baie d'Hudson

Ob

DU NORD

Terre de Baffin

Nouvelle-Zemble

Svalbard (Norvège)

ASIE

Labrador

Illulissat

Groenland (Danemark)

Laponie

Cercle polaire arctique

ISLANDE

FINLANDE

OCÉAN

NORVÈGE

Courant marin chaud

ATLANTIQUE

700 km

30° Ouest

30° Est

EUROPE

Objet d'art du peuple inu cet ours chasseur a été sculpté dans de l'os.

Attelage traditionnel de rennes : les Lapons ne l'utilisent plus que les jours de fête.

22

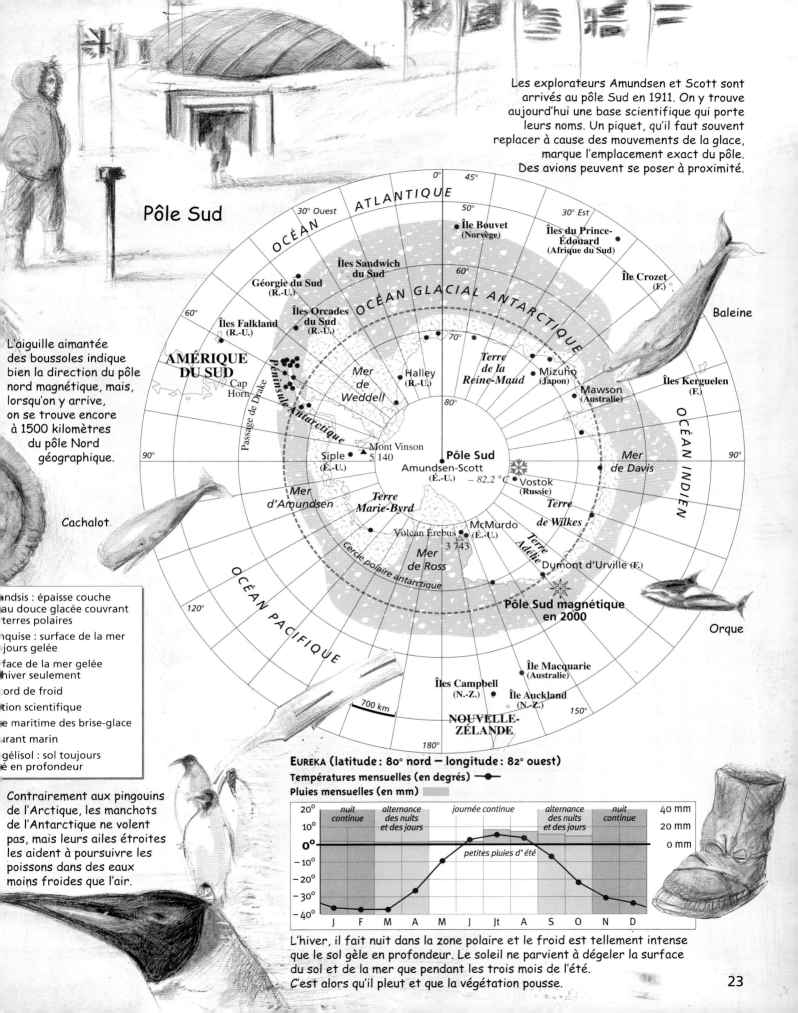

Les explorateurs Amundsen et Scott sont arrivés au pôle Sud en 1911. On y trouve aujourd'hui une base scientifique qui porte leurs noms. Un piquet, qu'il faut souvent replacer à cause des mouvements de la glace, marque l'emplacement exact du pôle. Des avions peuvent se poser à proximité.

Pôle Sud

L'aiguille aimantée des boussoles indique bien la direction du pôle nord magnétique, mais, lorsqu'on y arrive, on se trouve encore à 1500 kilomètres du pôle Nord géographique.

Cachalot.

Map labels:

0° 45° 30° Ouest 50° 30° Est

OCÉAN ATLANTIQUE

60° OCÉAN GLACIAL ANTARCTIQUE

Île Bouvet (Norvège)
Îles du Prince-Édouard (Afrique du Sud)
Îles Sandwich du Sud
Île Crozet (F.)
Géorgie du Sud (R.-U.)
Îles Orcades du Sud (R.-U.)
Îles Falkland (R.-U.)
AMÉRIQUE DU SUD
Cap Horn
Péninsule Antarctique
Passage de Drake
Mer de Weddell
Halley (R.-U.)
Terre de la Reine-Maud
Mizuho (Japon)
Mawson (Australie)
Îles Kerguelen (F.)
70°
80°
OCÉAN INDIEN
90° 90°
Mont Vinson 5 140
Siple (É.-U.)
Pôle Sud
Amundsen-Scott (É.-U.) − 82,2 °C
Vostok (Russie)
Mer de Davis
Mer d'Amundsen
Terre Marie-Byrd
Terre de Wilkes
Terre Adélie
Volcan Erebus 3 743
McMurdo (É.-U.)
Dumont d'Urville (F.)
Mer de Ross
Cercle polaire antarctique
Pôle Sud magnétique en 2000
120°
OCÉAN PACIFIQUE
Orque
Île Macquarie (Australie)
Îles Campbell (N.-Z.)
Île Auckland (N.-Z.)
700 km
NOUVELLE-ZÉLANDE
150°
180°

Baleine

Légende (partiellement visible) :
...ndsis : épaisse couche
...au douce glacée couvrant
...terres polaires
...quise : surface de la mer
...jours gelée
...face de la mer gelée
...hiver seulement
...ord de froid
...tion scientifique
...e maritime des brise-glace
...urant marin
...gélisol : sol toujours
...é en profondeur

Contrairement aux pingouins de l'Arctique, les manchots de l'Antarctique ne volent pas, mais leurs ailes étroites les aident à poursuivre les poissons dans des eaux moins froides que l'air.

EUREKA (latitude : 80° nord − longitude : 82° ouest)

Températures mensuelles (en degrés) ●—
Pluies mensuelles (en mm) ▓

20°	nuit continue	alternance des nuits et des jours	journée continue	alternance des nuits et des jours	nuit continue	40 mm
10°						20 mm
0°						0 mm
−10°			petites pluies d'été			
−20°						
−30°						
−40°						

J F M A M J Jt A S O N D

L'hiver, il fait nuit dans la zone polaire et le froid est tellement intense que le sol gèle en profondeur. Le soleil ne parvient à dégeler la surface du sol et de la mer que pendant les trois mois de l'été. C'est alors qu'il pleut et que la végétation pousse.

23

L'inlandsis

Glacier

La banquise

La glace de la banquise commence à se fracturer

Icebergs détachés du glacier

Les hommes cherchent au bord de l'eau leur nourriture principale : des phoques et des poissons.

Les seuls végétaux adaptés au froid sont les mousses rousses et les lichens bruns de la toundra.

Séchage de la pêche du jour

Tente de peaux de phoques dressée pour l'été

Bœufs musqués à longs poils laineux

Pour chasser le phoque : un harpon à propulseur et un flotteur pour le récupérer

Nettoyage d'une peau de phoque

Le sous-sol gelé rend le s marécageux au printemps

Renard polaire : pelage blanc et petites oreilles moins sensibles au froid

VIVRE DANS LE MONDE POLAIRE
COMME À ILLULISSAT, GROENLAND, AU PRINTEMPS

La vie se concentre le long des côtes.
L'intérieur du Groenland est un désert.

resque toutes les maisons ont l'électricité maintenant.

Maisons en bois
construites par
les Européens
au XIXe siècle.

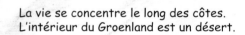

Iglous en métal
pour les touristes
de l'hôtel Artic

Transport par motoneige
et par tous les temps !

Nuées de moustiques

Éboulis de roches
brisées par le gel

Dès qu'il ne gèle plus,
des petites fleurs poussent
en quelques jours.

LE MONDE TEMPÉRÉ

À mi-chemin des pôles et de l'équateur, les zones tempérées sont régulièrement arrosées par des pluies modérées et n'ont pas à craindre les températures extrêmes qui limitent la vie des végétaux. Ce milieu naturellement favorable à la croissance des forêts et des prairies est devenu un espace agricole voué à l'élevage du gros bétail et à la production des céréales. Les quatre saisons rythment le travail.

L'abeille symbolise le travail agricole.

Charrue, collier d'épaule, moulins à eau ou à vent, tracteurs, insecticides, engrais ont été les principales étapes du progrès agricole dans la zone tempérée.

En été, la cigale se protège de la chaleur en remuant ses ailes bruyamment. On dit qu'elle chante.

Le chêne fournit un excellent bois de menuiserie.

Chasses à courre ou corridas mettent en scène le combat d'animaux, les uns sauvages, les autres domestiqués. C'est une manière de rappeler la victoire de la civilisation agricole sur la nature sauvage.

Pour construire leurs maisons, les trois petits cochons utilisent des matériaux et des techniques de la zone tempérée : la paille, le bois, la pierre.

120° Ouest   80°

Cercle polaire arctique

45° Nord

Grandes Plaines

Gulf Stream

Tropique du Cancer

OCÉAN

AMÉRIQUE

PACIFIQUE

Équateur

Tropique du Capricorne

Gran Chaco

Pampa

45° Sud

Cercle polaire antarctique

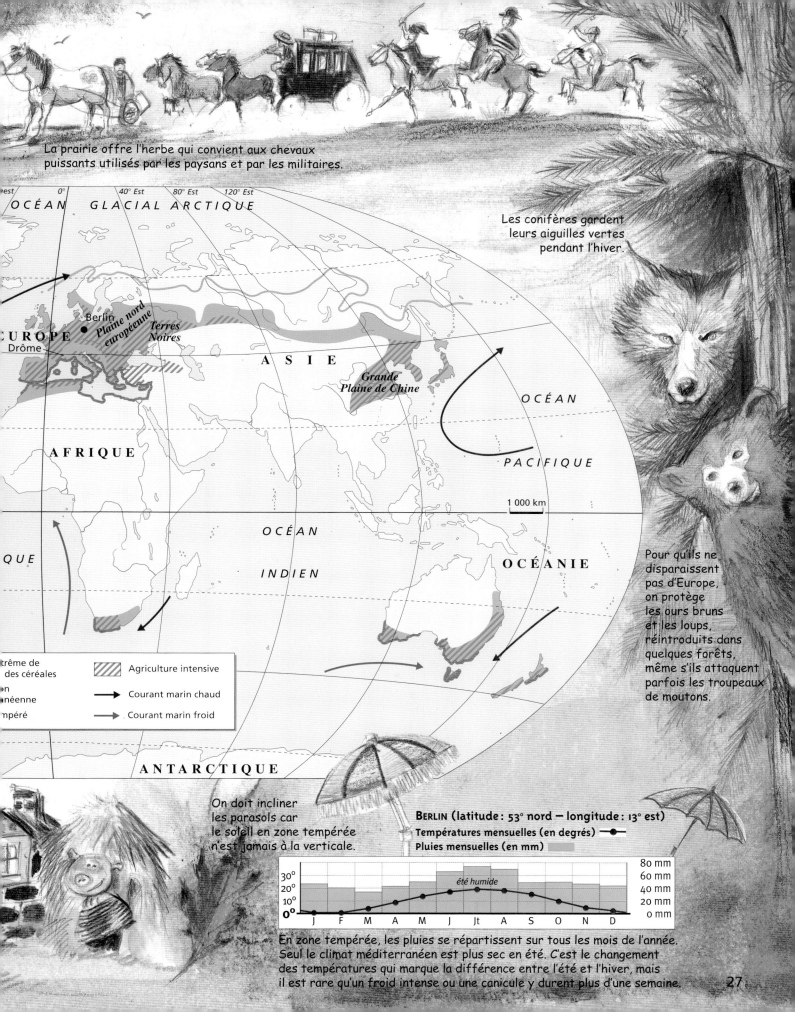

La prairie offre l'herbe qui convient aux chevaux puissants utilisés par les paysans et par les militaires.

Les conifères gardent leurs aiguilles vertes pendant l'hiver.

OCÉAN GLACIAL ARCTIQUE

EUROPE

Drôme

Berlin
Plaine nord européenne

Terres Noires

ASIE

Grande Plaine de Chine

OCÉAN PACIFIQUE

AFRIQUE

1 000 km

OCÉAN INDIEN

OCÉANIE

ANTARCTIQUE

Pour qu'ils ne disparaissent pas d'Europe, on protège les ours bruns et les loups, réintroduits dans quelques forêts, même s'ils attaquent parfois les troupeaux de moutons.

trême de des céréales

Agriculture intensive

néenne

Courant marin chaud

mpéré

Courant marin froid

On doit incliner les parasols car le soleil en zone tempérée n'est jamais à la verticale.

BERLIN (latitude : 53° nord – longitude : 13° est)
Températures mensuelles (en degrés)
Pluies mensuelles (en mm)

												80 mm
30°												60 mm
20°					été humide							40 mm
10°												20 mm
0°	J F M A M J Jt A S O N D											0 mm

En zone tempérée, les pluies se répartissent sur tous les mois de l'année. Seul le climat méditerranéen est plus sec en été. C'est le changement des températures qui marque la différence entre l'été et l'hiver, mais il est rare qu'un froid intense ou une canicule y durent plus d'une semaine.

Terrasses cultivées

Forêt de feuillus

Bergerie

Village perché

Ferme

Vignes

Route bordée de platanes

Champ de lavande

Polyculture

Ferme

Tuiles, toit à double pente, murs en pierres : c'est la maison du milieu tempéré.

Oliviers

VIVRE DANS
LE MONDE TEMPÉRÉ,
COMME DANS LA DRÔME, FRANCE

Château restauré

Château d'eau

Ligne électrique

Nouvelle carrière

Centre commercial

Rond-point

Berges consolidées

Lotissement « Les Cigales »

Le village est descendu dans la vallée.

Tracteurs adaptés à la viticulture

Corbeau et renard vivent
de plus en plus près des hommes.

LE MONDE DE LA CHALEUR ARIDE

Au quart de la distance entre l'équateur et les pôles,
on voit, sur un globe, les deux tropiques qui délimitent
la zone où le soleil peut être vertical à midi au moins
un jour par an. C'est sous les tropiques que le climat
est le plus aride et que l'on trouve le plus de déserts.
Les êtres vivants doivent se protéger de la chaleur
intense, chercher l'eau dont ils ont besoin et trouver
le moyen d'en consommer peu. Les hommes utilisent
de plus en plus les techniques modernes pour y parvenir.

Le désert devient le terrain
d'aventures motorisées.

Les couleurs et les formes étranges
des paysages désertiques attirent
les cinéastes et les touristes.

Scorpion couleur sable.

Sous la terre, les animaux ont moins chaud !
Les cactus d'Amérique stockent et économisent
efficacement l'eau.

Scarabée sacré de
l'art égyptien ancien.

Au sud du Sahara, le commerce du sel mobilise
encore des centaines d'hommes et d'animaux.

120° Ouest   80° Ouest

Cercle polaire arctique

45° Nord

Désert
Mojave

Tropique du Cancer

OCÉAN

PACIFIQUE

AMÉRIQUE

OCÉ

Équateur

Sertão

ATL

Tropique du Capricorne

Atacama

Patagonie

45° Sud

Limite d'extension
des palmiers

Désert chaud

Autre désert

Grande oasis
d'aujourd'hui

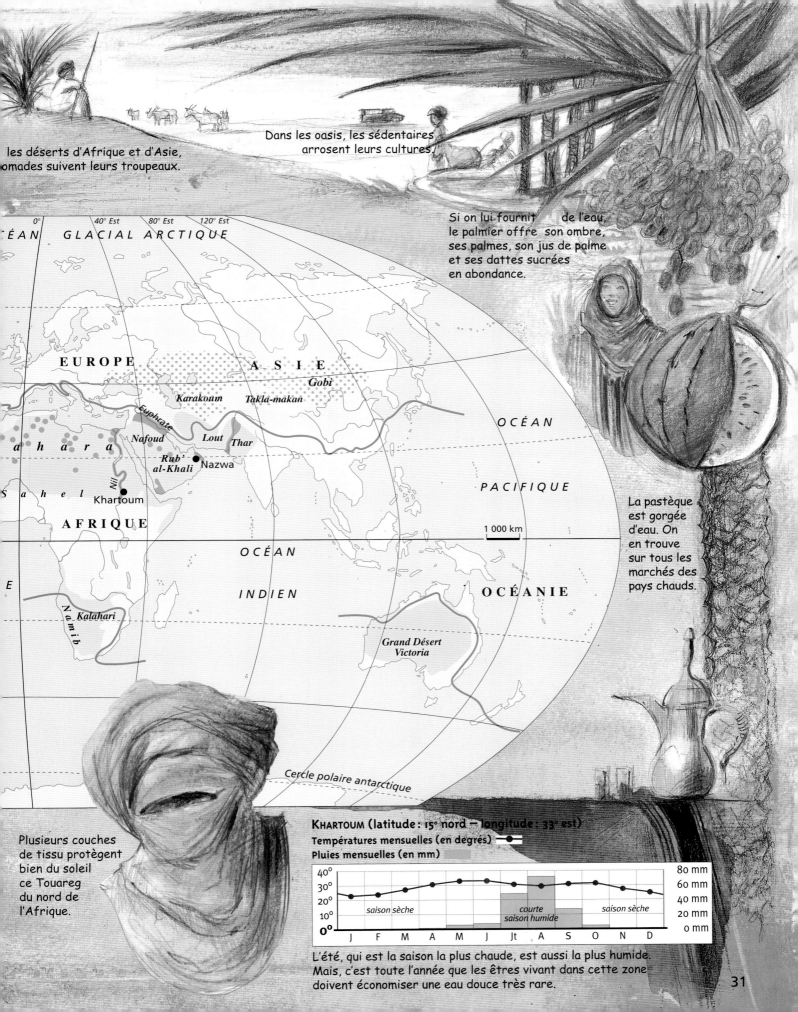

les déserts d'Afrique et d'Asie,
omades suivent leurs troupeaux.

Dans les oasis, les sédentaires
arrosent leurs cultures.

Si on lui fournit   de l'eau,
le palmier offre son ombre,
ses palmes, son jus de palme
et ses dattes sucrées
en abondance.

OCÉAN GLACIAL ARCTIQUE

EUROPE   ASIE

Gobi

Karakoum   Takla-makan

Euphrate

Nafoud   Lout   Thar

Sahara

Rub'
al-Khali   Nazwa

Nil

Sahel

Khartoum

AFRIQUE

OCÉAN

PACIFIQUE

OCÉAN

INDIEN   OCÉANIE

1 000 km

Namib   Kalahari

Grand Désert
Victoria

La pastèque
est gorgée
d'eau. On
en trouve
sur tous les
marchés des
pays chauds.

Cercle polaire antarctique

Plusieurs couches
de tissu protègent
bien du soleil
ce Touareg
du nord de
l'Afrique.

KHARTOUM (latitude : 15° nord – longitude : 33° est)

Températures mensuelles (en degrés) ●
Pluies mensuelles (en mm)

40°	80 mm
30°	60 mm
20°	40 mm
10°	20 mm
0°	0 mm

saison sèche   courte   saison sèche
                    saison humide

J F M A M J Jt A S O N D

L'été, qui est la saison la plus chaude, est aussi la plus humide.
Mais, c'est toute l'année que les êtres vivant dans cette zone
doivent économiser une eau douce très rare.

31

Oasis

L'absence de végétation rend le relief plus sensible...

Forteresse protégeant
le captage de l'eau de l'oued

Vieille ville

Grande palmeraie cultivée

Cette noria
puise l'eau.

Le canal
distribue
l'eau.

Pour chasser le rare gibier du désert, les nobles
utilisaient la bonne vue de leurs faucons dressés.

Jardins irrigués sous les arbres

VIVRE DANS LE MONDE DE LA CHALEUR ARIDE,
COMME DANS L'OASIS DE NAZWA,
SULTANAT D'OMAN

L'eau de la rivière (oued) se perd dans un lac desséché (chott). En s'évaporant, l'eau laisse un épais dépôt de sel.

... à l'érosion du sol par l'eau et par le vent.

Ville moderne

Recherche de pétrole

Les murs protègent l'oasis des inondations.

L'ombre des palmiers protège les arbres fruitiers.

Arrosage des cultures avec l'eau pompée dans le sous-sol

Rampe d'arrosage rotative

Pompe à moteur

Pour lutter contre la chaleur, le fennec vit surtout la nuit. Ses grandes oreilles facilitent la transpiration.

LE MONDE DE LA CHALEUR HUMIDE

La zone intertropicale est celle qui, entre les deux tropiques, alterne de fortes pluies en été et de la sécheresse en hiver. Seule la zone équatoriale (située sous l'équateur) ne connaît pas de sécheresse. Son climat, toujours chaud et humide, a favorisé la vie de nombreuses espèces animales et végétales.

La forêt équatoriale est une réserve de richesses naturelles dont on connaît mal les limites.

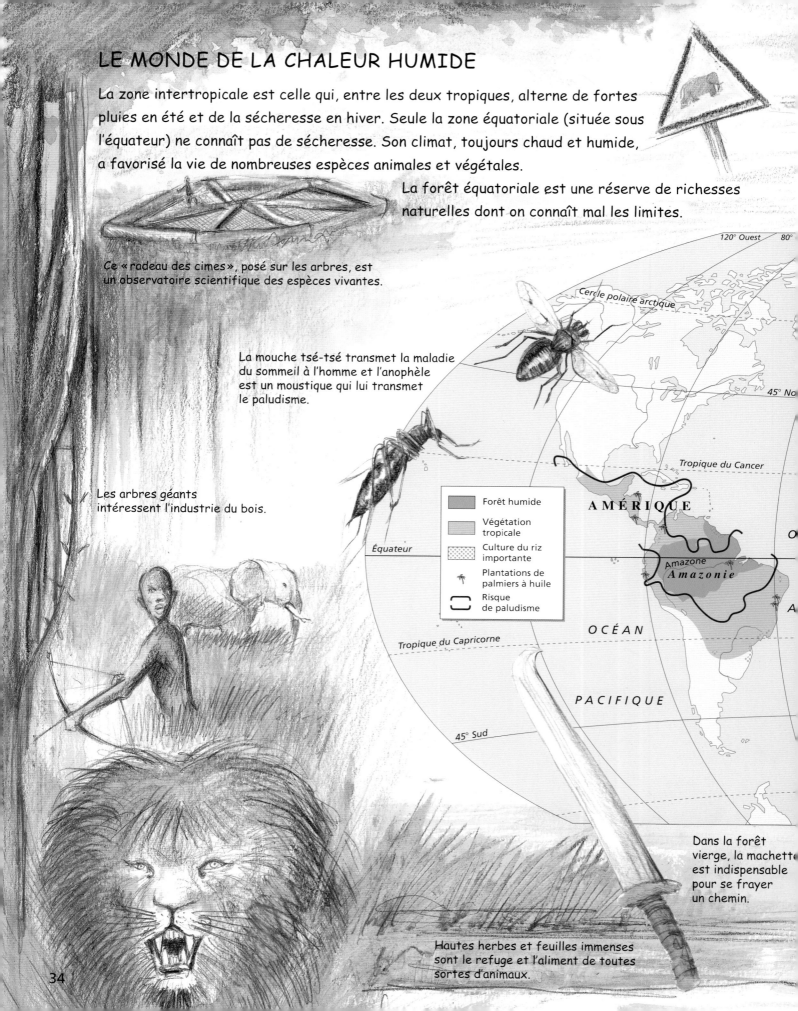

Ce « radeau des cimes », posé sur les arbres, est un observatoire scientifique des espèces vivantes.

La mouche tsé-tsé transmet la maladie du sommeil à l'homme et l'anophèle est un moustique qui lui transmet le paludisme.

Les arbres géants intéressent l'industrie du bois.

120° Ouest   80°

Cercle polaire arctique

45° No

Tropique du Cancer

AMÉRIQUE

Forêt humide

Végétation tropicale

Culture du riz importante

Plantations de palmiers à huile

Risque de paludisme

Équateur

Amazone
Amazonie

A

OCÉAN

Tropique du Capricorne

PACIFIQUE

45° Sud

Dans la forêt vierge, la machette est indispensable pour se frayer un chemin.

Hautes herbes et feuilles immenses sont le refuge et l'aliment de toutes sortes d'animaux.

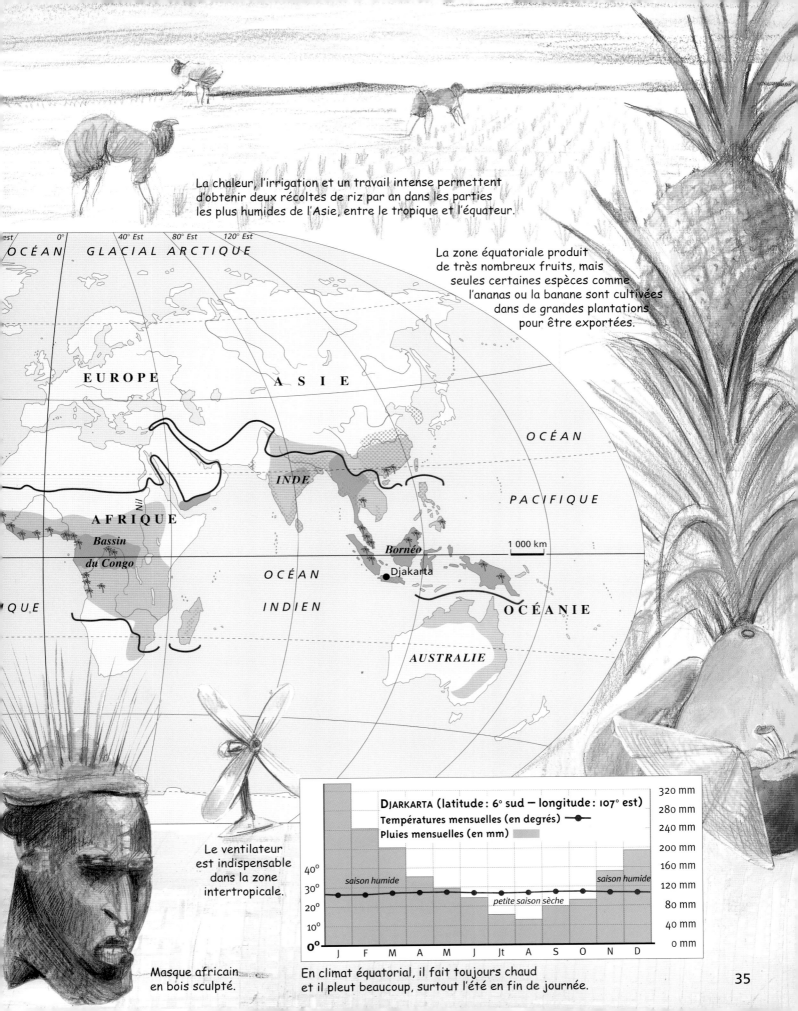

La chaleur, l'irrigation et un travail intense permettent
d'obtenir deux récoltes de riz par an dans les parties
les plus humides de l'Asie, entre le tropique et l'équateur.

La zone équatoriale produit
de très nombreux fruits, mais
seules certaines espèces comme
l'ananas ou la banane sont cultivées
dans de grandes plantations
pour être exportées.

OCÉAN GLACIAL ARCTIQUE

0°   40° Est   80° Est   120° Est

EUROPE

ASIE

OCÉAN

INDE

PACIFIQUE

Nil

AFRIQUE

Bassin
du Congo

Bornéo

1 000 km

Djakarta

OCÉAN

INDIEN

OCÉANIE

AUSTRALIE

Le ventilateur
est indispensable
dans la zone
intertropicale.

DJARKARTA (latitude : 6° sud – longitude : 107° est)
Températures mensuelles (en degrés)
Pluies mensuelles (en mm)

320 mm
280 mm
240 mm
200 mm
160 mm
120 mm
80 mm
40 mm
0 mm

40°
30°
20°
10°
0°

saison humide

petite saison sèche

saison humide

J F M A M J Jt A S O N D

Masque africain
en bois sculpté.

En climat équatorial, il fait toujours chaud
et il pleut beaucoup, surtout l'été en fin de journée.

35

Les animaux de petite taille sont les mieux adaptés au réseau serré des branches et des lianes.

La canopée désigne le sommet des plus grands arbres. À 60 mètres du sol, en plein soleil, on y trouve beaucoup d'insectes. Ils attirent des oiseaux tels que colibris et calaos.

Étage clair-obscur des arbres de 40 mètres

Les pluies violentes ne déchirent pas les feuilles qui, découpées, striées ou lisses, ne retiennent donc pas l'eau.

Étage sombre des arbres de 20 mètres

Pour les gros travaux, on utilise la puissance des éléphants

Étage humide des fougères et des herbes

Autour des villages, on peut irriguer des rizières pendant une grande partie de l'année.

VIVRE DANS LE MONDE DE LA CHALEUR HUMIDE, COMME À BORNÉO, INDONÉSIE

Quand les sols ne sont pas protégés par les arbres,
ils sont lessivés par la pluie et s'appauvrissent très vite.

Des plantations commerciales de palmiers
à huile et de bananiers ont remplacé
la forêt et apporté du travail.

La mangrove est une formation
végétale dont les racines épaisses
plongent dans l'eau de mer.

LES OCÉANS

« Planète bleue », c'est ainsi que les astronautes ont surnommé la Terre. Vue de l'espace, elle se présente en effet comme une sphère composée en majorité de parties basses recouvertes d'eau, les terres immergées. Les océans occupent 71 % de la surface du globe, le reste étant constitué de terres émergées. Grâce aux satellites, on peut changer de point d'observation et obtenir des images fort différentes de celles qui apparaissent généralement sur les planisphères et les cartes. Celles-ci sont toutefois bien utiles pour retrouver les noms des océans et des continents.

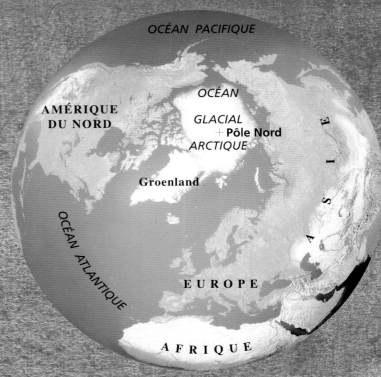

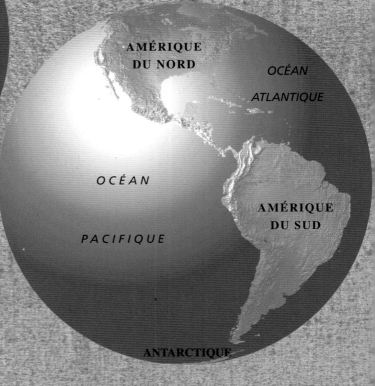

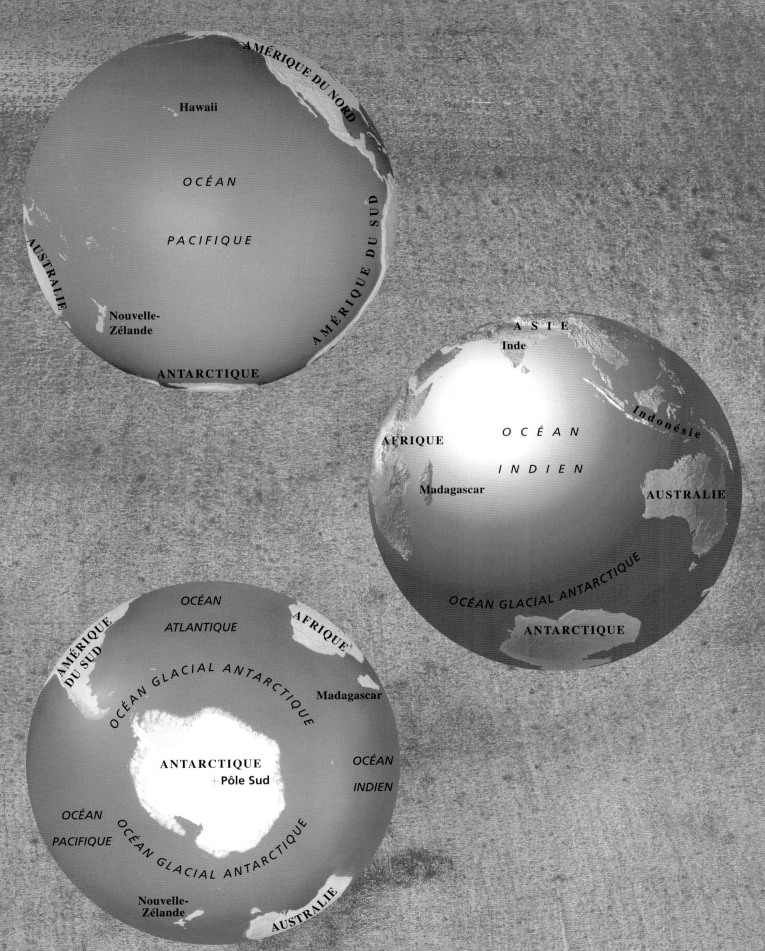

Hawaii

OCÉAN

PACIFIQUE

AMÉRIQUE DU NORD

AUSTRALIE

Nouvelle-
Zélande

AMÉRIQUE DU SUD

ANTARCTIQUE

ASIE

Inde

AFRIQUE

OCÉAN

INDIEN

Indonésie

Madagascar

AUSTRALIE

OCÉAN GLACIAL ANTARCTIQUE

ANTARCTIQUE

OCÉAN

ATLANTIQUE

AFRIQUE

AMÉRIQUE DU SUD

OCÉAN GLACIAL ANTARCTIQUE

Madagascar

ANTARCTIQUE

+ Pôle Sud

OCÉAN

INDIEN

OCÉAN

PACIFIQUE

OCÉAN GLACIAL ANTARCTIQUE

Nouvelle-
Zélande

AUSTRALIE

L'EUROPE

L'Europe est la partie du monde où terres et mers s'interpénètrent le plus. La mer attire toujours les hommes car elle adoucit le climat et facilite le transport des marchandises lourdes. Elle offre aussi des ressources en nourriture et constitue une source de loisirs. D'ailleurs, c'est à l'endroit où la mer Méditerranée, la mer du Nord et la mer Baltique sont les plus rapprochées que se trouve le cœur économique de l'Europe, le long du trait d'union que forme la vallée du Rhin.

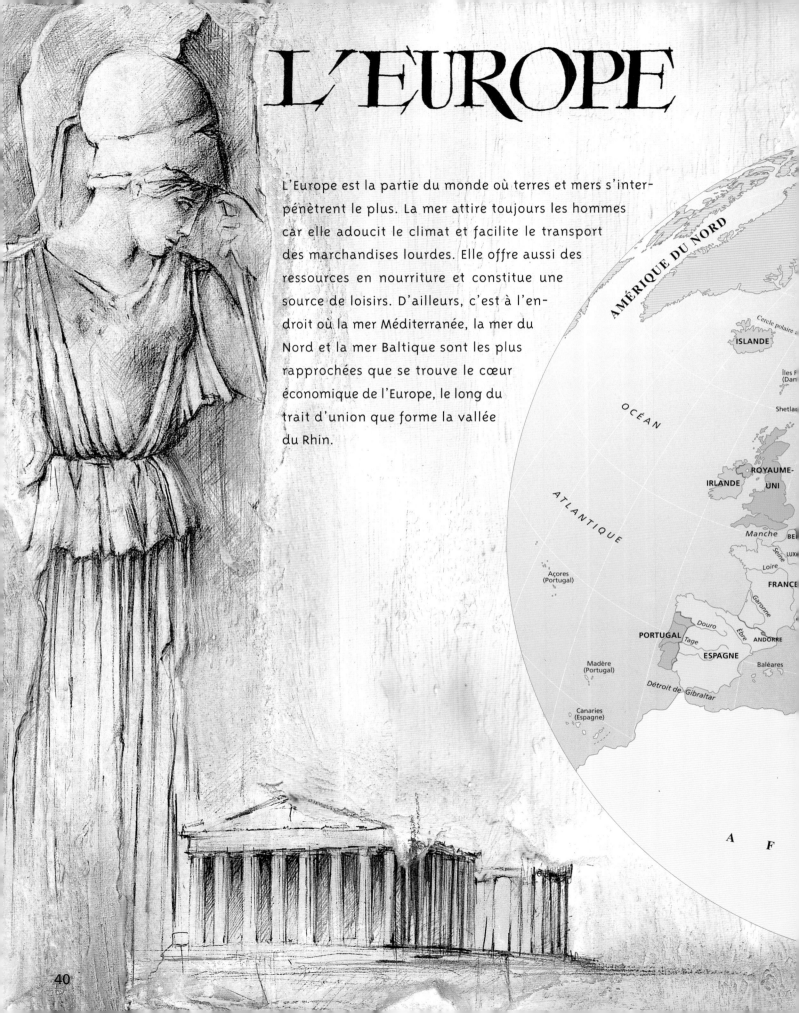

AMÉRIQUE DU NORD

Cercle polaire a

ISLANDE

Îles F
(Dan

Shetlan

OCÉAN

ROYAUME-
UNI

IRLANDE

ATLANTIQUE

Manche   BE

Seine   LUX

Loire

FRANCE

Açores
(Portugal)

Garonne

Douro

Ebre   ANDORRE

PORTUGAL   Tage

Madère
(Portugal)

ESPAGNE

Baléares

Détroit de Gibraltar

Canaries
(Espagne)

A   F

OCÉAN GLACIAL

ARCTIQUE

Svalbard
(Norvège)

Mer
de Kara

Nouvelle-Zemble
(Russie)

Mer de Barents

R U S S I E

SUÈDE FINLANDE

Lac Onega

Lac Ladoga

ESTONIE

LETTONIE

LITUANIE

Mer Baltique

BIÉLORUSSIE

Don

Vistule

Oder

POLOGNE

Volga

RÉPUBLIQUE
TCHÈQUE

Dniepr

SLOVAQUIE

UKRAINE

Dniestr

AUTRICHE

MOLDAVIE

HONGRIE

Mer Caspienne

SLOVÉNIE

CROATIE

ROUMANIE

BOSNIE-
HERZÉGOVINE

Mer Noire

A S I E

YOUGOSLAVIE

BULGARIE

MACÉDOINE

T U R Q U I E

ALBANIE

GRÈCE

Sicile

MALTE

Crète

Mer Méditerranée

Golfe
Arabo-Persique

Mer
Rouge

Q U E

Fanfare à San Lorenzo, en Italie

Tramway à Strasbourg, en France

41

La population

Quatre Européens sur cinq vivent en ville. Quatre agglomérations ont environ 10 millions d'habitants. Mais, au centre de l'Europe, là où la population est la plus dense, on trouve plutôt des villes de moyenne importance. Depuis le Moyen Âge, ces villes ont grandi en construisant des auréoles successives autour de leurs centres anciens devenus trop étroits pour la circulation automobile d'aujourd'hui.

VIVRE EN BANLIEUE - Grigny, 20 km au sud de Paris
Les architectes ont ajouté des couleurs sur les murs de ces bâtiments qui s'étirent comme des couleuvres dans un pré. Cette forme permet de loger beaucoup de monde, mais elle n'améliore pas la vie des habitants défavorisés qui vivent ici.

VIVRE EN VILLE - Berlin, capitale de l'Allemagne
Au centre de Berlin, on remarque le contraste entre l'architecture des monuments anciens et les formes modernes des constructions de notre époque. Dans ces beaux quartiers, les jardins publics et les magasins de luxe font partie du décor.

VIVRE AU VILLAGE - Istán, au sud de l'Espagne
Autrefois, ces maisons serrées les unes contre les autres permettaient à leurs habitants de se protéger et de survivre en cultivant des pentes escarpées. Aujourd'hui, ils doivent se déplacer sur des routes sinueuses pour profiter des avantages d'une ville.

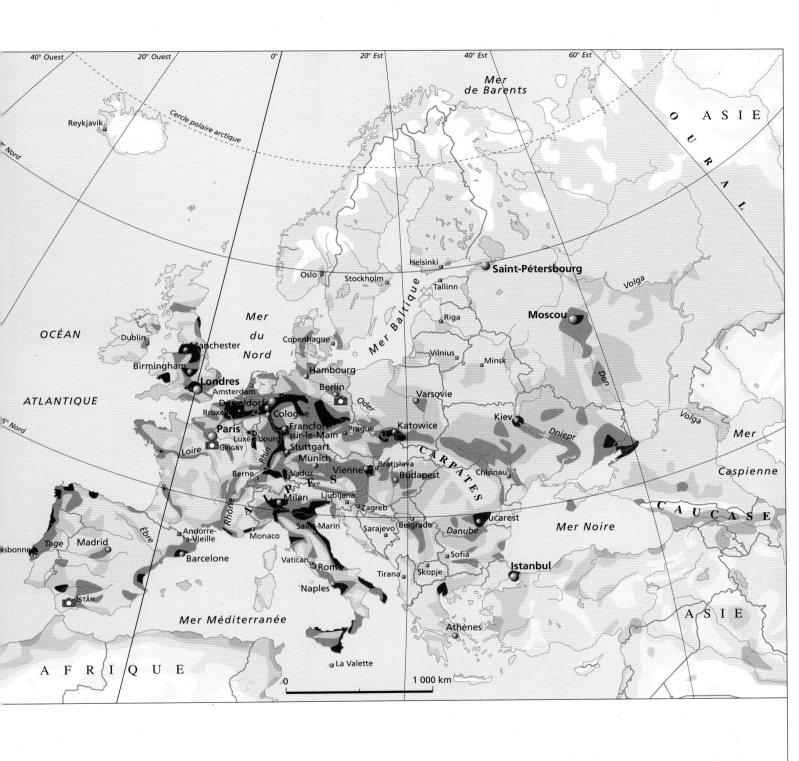

40° Ouest   20° Ouest   0°   20° Est   40° Est   60° Est

Mer de Barents

Cercle polaire arctique

Reykjavik

O ASIE

O U R A L

Mer du Nord

OCÉAN

ATLANTIQUE

Dublin

Manchester

Birmingham

Londres

Amsterdam

Düsseldorf

Bruxelles

Paris

Loire

GRIGNY

Luxembourg

Cologne

Francfort-sur-le-Main

Stuttgart

Berne

Rhin

Vaduz

Munich

Rhône

Milan

A P E S

Andorre-la-Vieille

Monaco

Saint-Marin

Vatican

Rome

Naples

Barcelone

Madrid

Tage

Lisbonne

ISTÁN

Ebre

Helsinki

Oslo

Stockholm

Saint-Pétersbourg

Tallinn

Riga

Mer Baltique

Copenhague

Hambourg

Berlin

Oder

Varsovie

Prague

Katowice

Vienne

Bratislava

Budapest

Ljubljana

Zagreb

Sarajevo

Belgrade

Danube

Bucarest

Sofia

Tirana

Skopje

Athènes

La Valette

Mer Méditerranée

A F R I Q U E

Vilnius

Minsk

Moscou

Volga

Don

Kiev

Dniepr

Chisinau

C A R P A T E S

Mer Noire

Mer Caspienne

C A U C A S E

A S I E

Volga

Istanbul

0   1 000 km

**Nombre d'habitants par km²
(densité de population)**

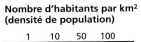

1 10 50 100

**Agglomérations
en millions d'habitants**

◕ Plus de 5 millions

● De 2 à 5 millions

**Capitales d'États
en millions d'habitants**

◕ Plus de 5 millions

● De 2 à 5 millions

▫ De moins de 2 millions d'habitants

Le relief

L'Europe est composée de trois types de paysages différents : au nord, de vieilles montagnes usées, arrondies et creusées par les pluies et les glaciers ; les débris issus de leur destruction ont été répandus au centre de l'Europe, formant des plaines et des plateaux fertiles ; au sud, la collision de l'Afrique et de l'Europe a fait surgir des volcans et formé un bourrelet de hautes montagnes plissées par ce choc.

SUR LA MAUVAISE PENTE ? - Près d'Arges, Carpates, Roumanie
Si faibles soient-elles, les altitudes et les pentes des moyennes montagnes ralentissent les transports. Elles ont donc perdu des habitants et des industries. Elles sont ainsi devenues des réservoirs d'eau pure, de bois et aussi de silence propice à la promenade.

UN MONT BLANC NOIR DE MONDE - Chamonix, Alpes, France
L'alpinisme est né à Chamonix. Les sports d'hiver ont transformé cette haute montagne en terrains de jeux saisonniers pour des foules de vacanciers. Le moindre incident climatique fait donc trembler les sauveteurs et les commerçants nombreux qui vivent de ce tourisme.

LA MARÉE VERTE - Palamos, Catalogne, Espagne
Sur les bords de la Méditerranée, les plaines sont rares et donc cultivées avec soin dès qu'il devient possible, comme ici, de les irriguer. Seuls quelques îlots et les abords de la plage ont échappé à cette nappe à carreaux de fruits et de légumes.

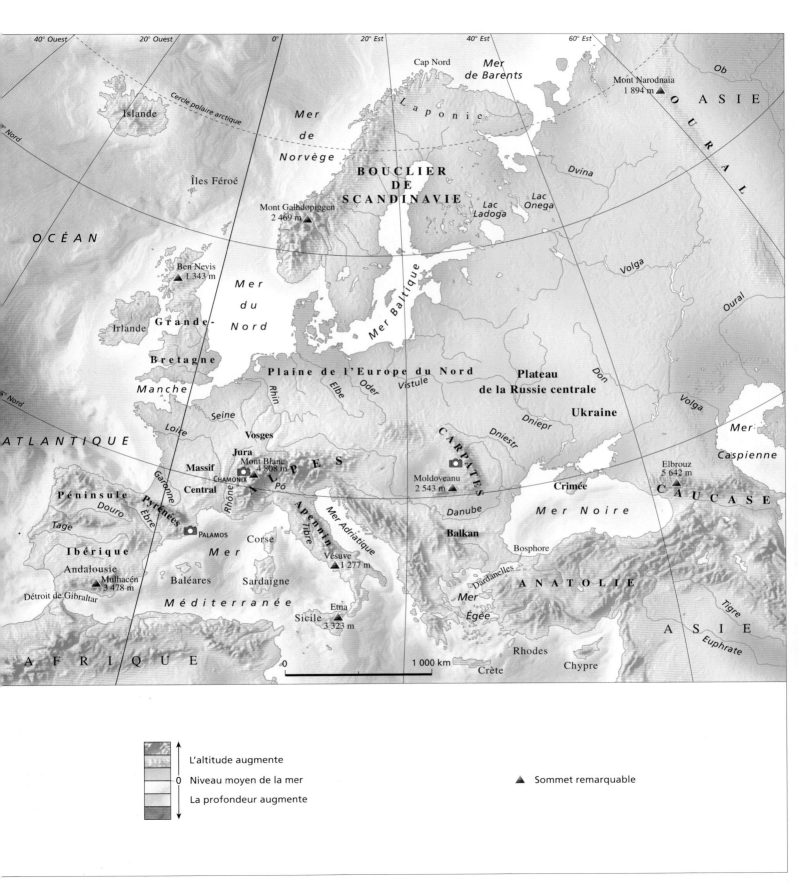

40° Ouest   20° Ouest   0°   20° Est   40° Est   60° Est

Ob

Cap Nord

Mer de Barents

Mont Narodnaia
1 894 m ▲

O A S I E

Cercle polaire arctique

Islande

Laponie

O U R A L

Mer de Norvège

Îles Féroé

BOUCLIER
DE
SCANDINAVIE

Dvina

Mont Galhdøpiggen
2 469 m ▲

Lac Onega

Lac Ladoga

OCÉAN

Ben Nevis
1 343 m ▲

Volga

Mer du Nord

Mer Baltique

Irlande

Grande-

Bretagne

Manche

Plaine de l'Europe du Nord

Plateau
de la Russie centrale

Rhin

Elbe

Oder

Vistule

Don

Ukraine

Seine

Loire

A T L A N T I Q U E

Volga

Dniepr

Mer Caspienne

Vosges

Jura

CARPATES

Dniestr

Massif

Mont Blanc
4 808 m ▲

Garonne

Central

CHAMONIX

Moldoveanu
2 543 m ▲

A
L
P
E
S

Elbrouz
5 642 m ▲

Pó

Péninsule

Pyrénées

Ébre

Rhône

Crimée

C A U C A S E

Douro

Tage

PALAMOS

Apennin

Tibre

Mer Adriatique

Corse

Danube

Mer Noire

Balkan

Bosphore

Ibérique

Mer

Andalousie

Baléares

Sardaigne

Vésuve
1 277 m ▲

Dardanelles

A N A T O L I E

Mulhacén
3 478 m ▲

Détroit de Gibraltar

M é d i t e r r a n é e

Sicile

Etna
3 323 m ▲

Mer
Égée

A S I E

Tigre

A F R I Q U E

0   1 000 km

Crète

Rhodes

Chypre

Euphrate

L'altitude augmente

0   Niveau moyen de la mer

▲ Sommet remarquable

La profondeur augmente

45

Les milieux de vie

Seule une petite partie de l'Europe subit les effets d'un froid trop rigoureux ou d'une température excessivement élevée. La végétation bénéficie de l'humidité et de la douceur apportées par le courant océanique du Gulf Stream. Ce continent devrait donc être couvert d'une épaisse forêt naturelle, mais les hommes l'ont défrichée et remplacée par les plantes qu'ils cultivent.

LA TOUNDRA : EXTRÊME LIMITE DU MONDE VÉGÉTAL
Toundra à Utsjoki, Laponie, Finlande
De rares arbustes poussent au-dessus de la surface pierreuse que les mousses et les lichens ont du mal à recouvrir. Le froid limite fortement la vie des végétaux dans ce paysage de la zone polaire. Des lacs peu profonds montrent que l'eau ne s'infiltre pas à cause du sous-sol gelé en permanence.

VERT, BRUN, JAUNE, LA FORÊT TEMPÉRÉE
Forêt de Rigambal, Aubrac, Massif central, France
En automne, dans les forêts de la zone tempérée, les arbres ont deux façons différentes de réagir aux changements du temps. Les conifères, grâce à leurs petites aiguilles, restent verts pendant tout l'hiver. Les feuillus, plus sensibles au froid et à la diminution de la durée du jour, ont de larges feuilles qui jaunissent, puis tombent.

POURQUOI LE VERT EST-IL LA COULEUR DE L'IRLANDE ?
Prairie côtière du Connemara, Irlande
Sur le bord humide et venté de l'océan Atlantique, on trouve une herbe tendre appréciée du bétail... et des randonneurs. Ce « tourisme vert » est une des principales ressources de l'Irlande.

QUAND LE SOLEIL NUIT
Garrigue méditerranéenne, Naxos, Grèce
Dans cette île de la Méditerranée, ce n'est pas le froid mais la sécheresse de l'été qui limite la croissance des végétaux. Sur ces roches calcaires ne pousse qu'une garrigue clairsemée composée d'arbustes épineux et odorants. Elle s'enflammera à la moindre étincelle.

40° Ouest 20° Ouest 0° 20° Est 40° Est 60° Est

Mer de Barents

UTSJOKI

Laponie

O U R A L A S I E

Cercle polaire arctique

Islande

Dvina

S C A N D I N A V I E

Mer du Nord

Volga

OCÉAN

CONNEMARA

ÎLES BRITANNIQUES

Mer Baltique

ATLANTIQUE

PLAINE DE L'EUROPE DU NORD

Rhin

Vistule

Volga

Dniepr

U K R A I N E

Mer Caspienne

Loire

A L P E S

C A R P A T E S

Plaine de Hongrie

Crimée

C A U C A S E

MONTS D'AUBRAC

Pô

Pyrénées

Danube

Mer Noire

PÉNINSULE

Balkan

IBÉRIQUE

Mer Méditerranée

NAXOS

A S I E

A F R I Q U E

0   1 000 km

Les végétations naturelles adaptées aux climats, si elles n'ont pas été remplacées par des plantations

Mousses et buissons adaptés au milieu froid et sec (**toundra**)

Arbres gardant leurs aiguilles (**conifères**) ou perdant leurs feuilles en automne (**feuillus**)

Prairies herbeuses (le plus souvent cultivées)

Arbres toujours verts et arbustes à caractère méditerranéen (**maquis** et **garrigue**)

Végétaux absents, rares ou temporaires à cause de l'aridité du milieu chaud et sec (**désert**)

En montagne, les végétaux sont étagés en altitude : de bas en haut on y trouve forêts de feuillus, forêts de conifères, prairies, puis seulement des mousses sur les pierres

L'ASIE

L'Asie est le continent des records. C'est le plus peuplé, le plus vaste et son relief est le plus élevé. C'est aussi le continent où les différences de températures sont les plus fortes et les inondations les plus meurtrières. De nos jours, c'est la zone de la planète qui connaît la croissance écono-mique la plus forte, même si les crises financières peuvent y être soudaines et catastrophiques.

cercle polaire arctique

EUROPE

AFRIQUE

Mer Méditerranée

Mer Noire

TURQUIE

GÉORGIE

ARMÉNIE

AZERBAÏDJAN

Mer Caspienne

Mer d'Aral

OUZBÉK

TURKMÉNISTAN

Amou-Da

CHYPRE

LIBAN

ISRAËL

SYRIE

Tigre

Territoires
autonomes
de Palestine

JORDANIE

IRAK

Euphrate

IRAN

AFGHANI

KOWEÏT

BAHREÏN

Golfe
Arabo-
Persique

QATAR

ÉMIRATS
ARABES UNIS

Détroit
d'Ormuz

PAK

Ind

ARABIE
SAOUDITE

OMAN

Mer Rouge

YÉMEN

Socotra
(Yémen)

Mer d'Oman

MALDIV

AMÉRIQUE DU NORD

OCÉAN GLACIAL
ARCTIQUE

Mer de Kara
Mer de Laptev
Mer de Sibérie Orientale
Détroit de Béring
Mer de Béring

Ienissei
Lena
Amour
Angara
Lac Baïkal
Sakhaline
Mer d'Okhotsk

Irtych
Ilkhach

MONGOLIE

Mer du Japon
CORÉE DU NORD
JAPON
CORÉE DU SUD
Mer Jaune

CHINE

Huanghe
Yangzijiang
Xijiang

Mer de Chine Orientale

TAIWAN

ligne de changement de date

Tropique du Cancer

OCÉAN PACIFIQUE

Brahmapoutre
NÉPAL
BHOUTAN
Gange
BANGLADESH
BIRMANIE (MYANMAR)
LAOS
VIÊT-NAM
THAÏLANDE
Mékong
CAMBODGE

Golfe du Bengale
Andaman (Inde)

INDE

PHILIPPINES

Mer de Chine Méridionale

Équateur

SRI LANKA
Nicobar (Inde)
Détroit de Malacca
MALAISIE
SINGAPOUR
Sumatra
BRUNEI
Bornéo
Célèbes
Java
INDONÉSIE
Moluques
Nouvelle-Guinée
OCÉANIE

OCÉAN INDIEN

Tropique du Capricorne

Fête au Viêt-nam

Touk-touk à Bangkok, en Thaïlande

49

La population

Plus de la moitié des hommes vivent en Asie, mais ils se sont répartis de façon très inégale. À l'intérieur du continent, la Sibérie, la Mongolie et le Tibet sont d'immenses espaces déserts. La Chine et l'Inde, en revanche, sont les deux plus importants groupements humains de la planète : d'ailleurs ces deux pays ont chacun deux ou trois agglomérations de plus de 10 millions d'habitants.

UN VILLAGE FLOTTANT - Sur le fleuve Mékong, Viêt-nam
Dans le delta du Mékong, l'essentiel de l'espace cultivable est occupé par des rizières. Les bras du fleuve servent de lieux d'habitation et de voie de circulation pour les hommes et les marchandises. Sous certaines de ces maisons, on élève des poissons.

UNE VILLE QUI BOUGE - Au centre de Shanghai, Chine
Simple village de pêcheurs au XIXᵉ siècle, Shanghai est devenue une ville de plus de 10 millions d'habitants. Ces immeubles anciens et récents entassent une population nombreuse qui travaille dans les innombrables chantiers de la ville.

DES HOMMES EN MOUVEMENT - Nomades en Mongolie
En été, les éleveurs mongols se déplacent avec leurs troupeaux dans la steppe des hauts plateaux. Ils vivent dans de grandes tentes appelées yourtes. Le reste du temps, ils sont installés dans des villages fixes.

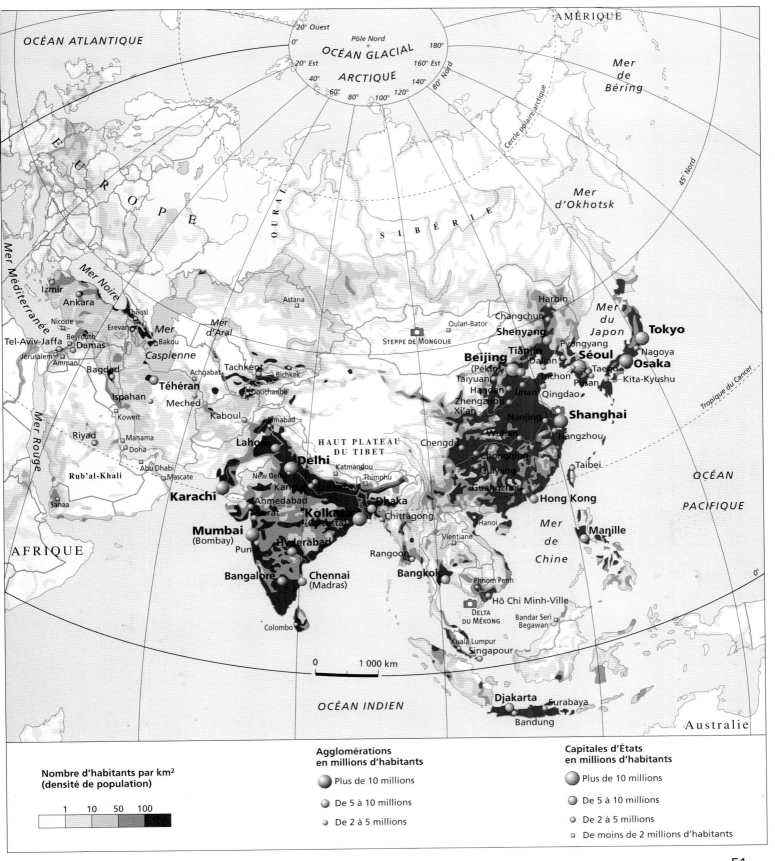

OCÉAN ATLANTIQUE

Pôle Nord
+
OCÉAN GLACIAL
ARCTIQUE

AMÉRIQUE

Mer
de
Béring

20° Ouest
0°
20° Est
40°
60° 80° 100° 120°
140°
160° Est
180°
Cercle polaire arctique
80° Nord
45° Nord

Mer
d'Okhotsk

E U R O P E

O U R A L

S I B É R I E

Mer Méditerranée

Izmir
Ankara
Nicosie
Tbilissi
Erevan
Tel-Aviv-Jaffa
Jérusalem
Beyrouth
Damas
Amman
Bakou
Bagdad
Mer Noire
Mer Caspienne

Mer Rouge

Riyad
Manama
Doha
Abu Dhabi
Mascate
Koweit
Ispahan
Téhéran
Meched

Astana

Mer d'Aral

Tachkent
Achgabat
Bichkek
Douchanbe
Kaboul
Islamabad

Oulan-Bator
STEPPE DE MONGOLIE

Harbin
Changchun
Shenyang
Beijing
(Pékin)
Tiànjin
Dalian
Taiyuan
Handan
Jinan
Zhengzhou
Xi'an
Pyongyang
Séoul
Inchon
Taegu
Pusan
Kita-Kyushu

Mer
du
Japon

Tokyo
Nagoya
Osaka

Qingdao

Rub'al-Khali

Sanaa

AFRIQUE

Lahore
Karachi
New Delhi
Delhi
Kanpur
Ludhiana
Ahmedabad
Surat
Mumbai
(Bombay)
Pune
Hyderabad
Bangalore
Chennai
(Madras)
Colombo

HAUT PLATEAU
DU TIBET
Katmandou
Thimphu

Kolkata
(Calcutta)
Dhaka
Chittagong

Chengdu
Chongqing
Guiyang
Guangzhou
Wuhan
Nanjing
Shanghai
Hangzhou
Taibei
Hong Kong

Tropique du Cancer

OCÉAN
PACIFIQUE

Hanoi
Vientiane
Rangoon
Bangkok
Phnom Penh
Hô Chi Minh-Ville
DELTA
DU MÉKONG
Bandar Seri
Begawan
Kuala Lumpur
Singapour

Mer
de
Chine

Manille

OCÉAN INDIEN

Djakarta
Bandung
Surabaya

Australie

0 1 000 km

Nombre d'habitants par km²
(densité de population)

1 10 50 100

Agglomérations
en millions d'habitants

● Plus de 10 millions
◗ De 5 à 10 millions
◔ De 2 à 5 millions

Capitales d'États
en millions d'habitants

● Plus de 10 millions
◗ De 5 à 10 millions
◔ De 2 à 5 millions
▫ De moins de 2 millions d'habitants

Le relief

L'Asie est un continent de forme massive. Au centre se dresse l'Himalaya, la chaîne de montagnes la plus élevée du monde. Au nord s'étendent les immenses plaines et plateaux de la Sibérie. Au sud alternent de vastes péninsules et des golfes profonds. À l'est, des îles et des archipels volcaniques forment une longue « ceinture de feu » au bord de l'océan Pacifique.

CELUI DONT LA TÊTE TOUCHE LE CIEL - Mont Everest dans l'Himalaya, Népal
Sagarmatha, « Celui dont la tête touche le ciel », est le nom donné par les Népalais au mont Everest, le sommet le plus élevé de la planète qui culmine à 8850 mètres. Escaladé pour la première fois en 1953, il fait rêver tous les alpinistes de la Terre.

PAINS DE SUCRE ET RIZ À L'EAU - Baie d'Along, Viêt-nam
Une série de pitons rocheux en forme de pains de sucre rend inoubliable ce paysage entre terre et eau.
Les rizières inondées occupent tout l'espace disponible, à l'exception du chemin qui permet aux paysans d'accéder à leurs champs.

LE CÔNE GLACÉ PRÉFÉRÉ DES JAPONAIS - Mont Fuji, Japon
Avec 3776 mètres d'altitude, le mont Fuji est le plus élevé des 200 volcans de l'archipel japonais. C'est aussi le plus célèbre car sa forme conique parfaite se dresse au-dessus du Kanto, la plaine où est situé Tokyo et où vivent plus d'un Japonais sur trois.

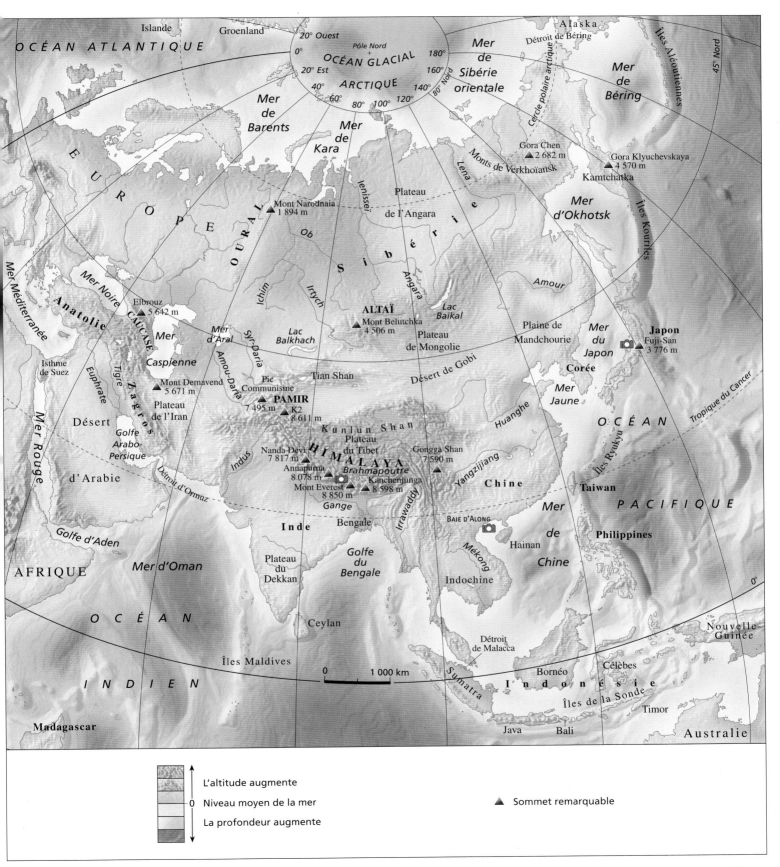

OCÉAN ATLANTIQUE

Islande   Groenland   20° Ouest   Pôle Nord   Alaska   Détroit de Béring   Îles Aléoutiennes
            0°   +   45° Nord
                         OCÉAN GLACIAL   180°   Mer   Cercle polaire arctique
            20° Est   ARCTIQUE   160°   de
EUROPE   40°   140°   Sibérie   Mer
                    60° 80° 100° 120°   orientale   de Béring
            Mer de   Mer
            Barents   Mer   d'Okhotsk
                       de
                       Kara   Plateau   Monts de Verkhoïansk   Gora Chen ▲ 2 682 m   Gora Klyuchevskaya ▲ 4 570 m
            OURAL   de l'Angara   Kamtchatka
                    Mont Narodnaia   Lena
                    ▲ 1 894 m   Ienisseï   Îles Kourilles
                              Ob   Sibérie
                         Ichim   Irtych   Angara
            Elbrouz   Lac Baïkal   Amour   Mer du Japon   Japon
            ▲ 5 642 m   Mer   Mer   ALTAÏ   Fuji-San
Mer Noire   CAUCASE   d'Aral Caspienne   Mont Belutchka   Plaine de   ▲ 3 776 m
Anatolie   Syr-Daria ▲ 4 506 m   Plateau   Mandchourie   Corée
Mer   Amou-Daria   de Mongolie   Mer
Méditerranée Mont Demavend   Tian Shan   Désert de Gobi   Jaune
Isthme   Zagros ▲ 5 671 m Pic   Mer Jaune
de Suez   Euphrate Tigre   Communisme   Huanghe   OCÉAN   Tropique du Cancer
            Plateau   ▲ 7 495 m PAMIR
Désert   de l'Iran   K2   Kunlun Shan   Yangzijiang
            Golfe   Nanda-Devi 8 611 m Plateau   Gongga Shan
            Arabo-   ▲ 7 817 m   HIMALAYA du Tibet   ▲ 7 590 m   Taiwan   PACIFIQUE
            Persique Détroit Annapurna Brahmapoutre   Chine
d'Arabie   d'Ormuz ▲ 8 078 m ▲ ○ Kanchenjunga   Mer
                               Mont Everest ▲ 8 598 m   de   Philippines
Golfe d'Aden   8 850 m   Gange   Chine
                        Indus   Inde   Bengale   Irrawaddy   BAIE D'ALONG
AFRIQUE   Mer d'Oman   Plateau   Golfe   □
                                 du Dekkan   du   Mékong Hainan
            OCÉAN   Bengale   0°
                                         Ceylan   Indochine
                    Îles Maldives   Détroit
INDIEN   de Malacca   Nouvelle-Guinée
                               0   1 000 km   Sumatra   Bornéo Célèbes
                                                                Indonésie
Madagascar   Java Bali Îles de la Sonde Timor   Australie

L'altitude augmente

0   Niveau moyen de la mer   ▲ Sommet remarquable

La profondeur augmente

Les milieux de vie

L'Asie comprend trois grands ensembles de climats et de milieux naturels. Au nord, le froid marque les paysages de la Sibérie. L'ouest et le centre sont plutôt soumis à la sécheresse. Au sud et au sud-est de l'Himalaya, l'Inde, l'Indochine et la presqu'île de Malaisie ont un climat tropical à deux saisons : une saison sèche en hiver et, en été, une saison de pluies très abondantes qu'on appelle la mousson.

QUI VA LÀ ?
Fin d'été dans l'île Wrangel, Russie
Les skis ne sont pas ceux de vacanciers venus profiter de la neige. Seuls quelques scientifiques et des militaires sont autorisés à affronter les conditions naturelles extrêmement difficiles de cette île de l'océan Glacial arctique. Comme ces oies, ils retourneront vers le sud avant l'hiver.

SOUS LA PLUIE, LA FORÊT DENSE
Forêt de mousson près d'Along, Inde
Au nord-est de l'Inde, les vents marins chargés d'humidité se heurtent à l'Himalaya. Ce contact provoque des pluies énormes qui font pousser une végétation luxuriante et difficilement pénétrable : c'est la jungle.

DE L'OR NOIR POUR DE L'EAU DOUCE
Traitement des eaux à Jahra, Koweït
Une pieuvre géante accrochée au rivage ? Non, ce sont les rejets d'une usine de dessalement de l'eau de mer. Le traitement de l'eau salée est très coûteux en énergie mais ce n'est pas un problème pour le Koweït qui dispose d'abondantes ressources pétrolières.

UN VERT DE THÉ
Plantation de thé sur les Hautes terres, région de Kandy, Sri Lanka
Dans cette ancienne colonie, les Anglais avaient introduit la culture du thé « de Ceylan », ancien nom du Sri Lanka, car la chaleur et l'humidité du climat y permettent la croissance des belles feuilles de thé.

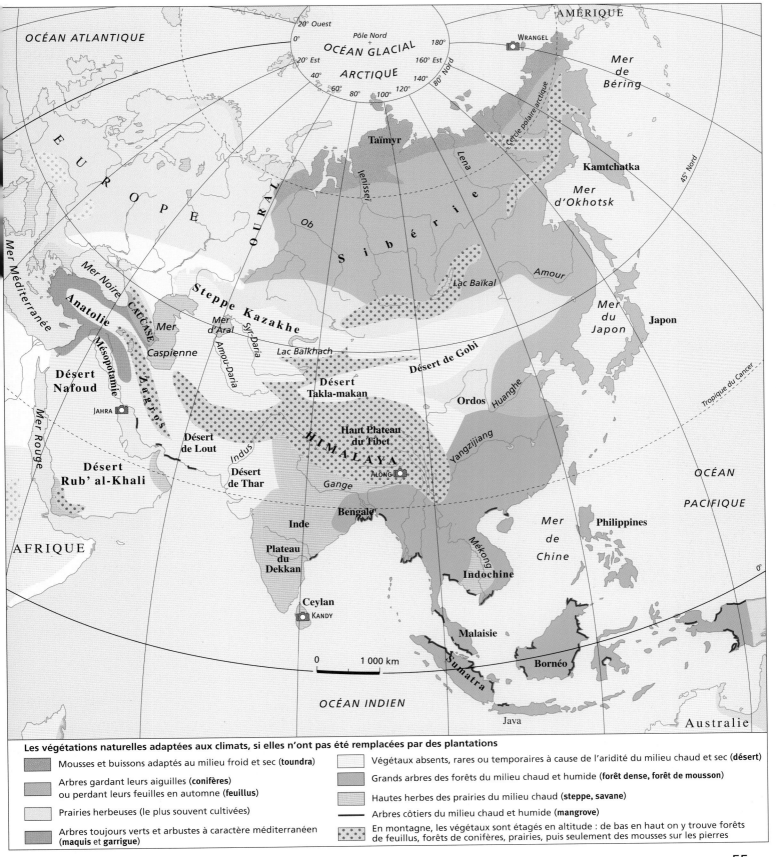

Les végétations naturelles adaptées aux climats, si elles n'ont pas été remplacées par des plantations

Mousses et buissons adaptés au milieu froid et sec (**toundra**)

Arbres gardant leurs aiguilles (**conifères**) ou perdant leurs feuilles en automne (**feuillus**)

Prairies herbeuses (le plus souvent cultivées)

Arbres toujours verts et arbustes à caractère méditerranéen (**maquis** et **garrigue**)

Végétaux absents, rares ou temporaires à cause de l'aridité du milieu chaud et sec (**désert**)

Grands arbres des forêts du milieu chaud et humide (**forêt dense, forêt de mousson**)

Hautes herbes des prairies du milieu chaud (**steppe, savane**)

Arbres côtiers du milieu chaud et humide (**mangrove**)

En montagne, les végétaux sont étagés en altitude : de bas en haut on y trouve forêts de feuillus, forêts de conifères, prairies, puis seulement des mousses sur les pierres

L'AMÉRIQUE

L'Amérique s'étire sur 18 000 km, du monde polaire arctique jusqu'au Cap Horn qui n'est pas très éloigné du pôle Sud. C'est un continent où les contrastes sont extrêmes. Au nord, les États-Unis sont la première puissance mondiale alors qu'au sud les pays peinent à entrer dans le développement. Partout dans les grandes villes s'opposent les abris de fortune des habitants les plus démunis et les quartiers luxueux des plus riches. C'est la face obscure du rêve américain.

Mer
de
Béring

Détroit de B

Yukon

Golfe
d'Alaska

Tropique du Cancer

Hawaii
(États-Unis)

OCÉAN

Équateur

OCÉANIE

PACIFIQU

Tropique du Capricorne

OCÉAN GLACIAL

ARCTIQUE

EUROPE

Groenland
(Danemark)

Cercle polaire arctique

Grand Lac
de l'Ours

Détroit de Davis

Grand Lac
de l'Esclave

Baie
d'Hudson

Mer du
Labrador

CANADA

Québec

Grands
Lacs

-UNIS D'AMÉRIQUE

Mississippi

Bermudes
(Royaume-Uni)

OCÉAN

AFRIQUE

Golfe
du Mexique

BAHAMAS

QUE

CUBA

RÉPUBLIQUE
DOMINICAINE

ST-CHRISTOPHE ET NIÉVÈS
ANTIGUA ET BARBUDA
Guadeloupe (F.)
DOMINIQUE
Martinique (F.)
ST-VINCENT ET LES GRENADINES
BARBADE
SAINTE-LUCIE
TRINITÉ-ET-TOBAGO

JAMAÏQUE
BELIZE
HONDURAS
EMALA
SALVADOR
COSTA RICA

HAÏTI

Porto Rico
(É.-U.)

GRENADE

NICARAGUA

PANAMÁ

VENEZUELA

GUYANA

Guyane française

COLOMBIE

SURINAM

agos
eur)

ÉQUATEUR

Amazone

PÉROU

BRÉSIL

ATLANTIQUE

Lac
Titicaca

BOLIVIE

PARAGUAY

CHILI

ARGENTINE

URUGUAY

Îles Falkland (R.-U.)
(Malouines)

Détroit de
Magellan

Cap Horn

OCÉAN GLACIAL ANTARCTIQUE

ANTARCTIQUE

Cercle polaire antarctique

Rodéo en Oregon,
aux États-Unis

Camion traversant l'Amérique

La population

En Amérique, six agglomérations dépassent 10 millions d'habitants : elles sont toutes situées au bord ou à proximité de la mer car les parties montagneuses ou forestières de l'intérieur de ce continent sont les moins peuplées. Si les régions côtières sont plus peuplées c'est parce que, du XVIe au XIXe siècle, elles ont accueilli de nombreux colons venus d'Europe, puis des esclaves venus d'Afrique.

VIVRE EN MARGE - Rio de Janeiro, Brésil
Les villes du littoral brésilien attirent les populations misérables des campagnes. Leurs habitations inconfortables imbriquées les unes dans les autres ont formé d'immenses quartiers pauvres (favelas) sur des pentes où il est dangereux de construire.

VIVRE LOIN DE TOUT
Près de Belém, Brésil
On n'accède encore que par la rivière à cette cabane isolée dans l'immense forêt amazonienne. Est-ce un coin de paradis dans « l'enfer vert » ou le dernier refuge d'un groupe d'Indiens ?

VIVRE AU CENTRE - Quartier de Soho, New York, États-Unis
Les gratte-ciel empilent des bureaux au cœur des villes américaines. À leurs pieds, des immeubles moins hauts et plus anciens abritent des populations qui n'ont pas les moyens d'habiter loin du bruit et de la pollution du centre de New York.

L'AMÉRIQUE

Le relief

Le continent américain est bordé à l'ouest par 10 000 km de hautes montagnes, parfois composées de volcans, et à l'est par des montagnes moins élevées. Entre ces bordures s'étendent à perte de vue de grandes étendues de hauts plateaux et de vastes plaines. Au centre, des zones plus basses ont été immergées formant ainsi le golfe du Mexique et la mer des Caraïbes.

À L'OUEST, DE HAUTES MONTAGNES - La cordillère des Andes, région d'Arequipa, Pérou
La haute altitude de ses sommets et de ses cols fait de la cordillère des Andes un obstacle difficile à franchir.
Ses habitants élèvent des animaux, comme le lama, qui se sont adaptés à la vie en altitude.

AU CENTRE, D'IMMENSES PLATEAUX - Monument Valley, Arizona, États-Unis
Les hauts plateaux, souvent monotones et peu habités, peuvent prendre ici ou là un aspect spectaculaire
qui attire des foules de touristes. C'est le cinéma qui a fait la célébrité mondiale de ces pitons rouges.

À L'EST, DE VASTES PLAINES - La Pampa, Argentine
Au pied du plateau commence la plaine de la Pampa. On y engraisse des millions de bovins qui,
en broutant, ont modifié l'aspect et la nature des végétaux de la prairie que l'on voit ici au premier plan.

Les milieux de vie

Le continent américain est caractérisé par une grande variété de climats : dans certains pays existent à la fois des déserts, des glaciers et des forêts vierges. En Amérique du Nord, il faut protéger les milieux naturels de l'urbanisation et de la pollution. En Amérique du Sud, les espaces naturels sont encore si nombreux qu'on les exploite sans réserve.

RÉSERVE DE LOISIRS
Parc national du Grand Teton, Wyoming, États-Unis
Plusieurs grands parcs nationaux ont été délimités dans les montagnes Rocheuses. Les vacanciers apprécient d'y contempler un milieu naturel préservé et juste aménagé pour leur plaisir.

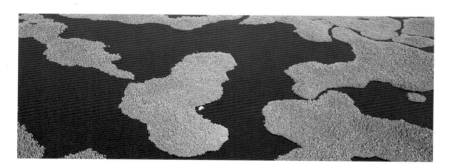

MILIEU SAUVEGARDÉ
Parc national des Everglades, Floride, États-Unis
Ce n'est pas pour le plaisir des touristes que tous ces marécages ont été inscrits sur la liste du patrimoine mondial à protéger, mais pour sauvegarder plus de mille espèces animales qui y vivent.

VAINES PÂTURES
La caatinga du Nordeste, Sertão, Brésil
Ces broussailles (la caatinga) nourrissent à peine les vaches du sertao (le semi-désert du nord-est du Brésil) et, pour cultiver la terre, il faudrait pouvoir l'irriguer. Beaucoup de paysans s'en vont chercher ailleurs des sols plus fertiles ou partent dans les grandes villes pour trouver du travail.

FORÊT EXPLOITÉE SANS RÉSERVE
Rio Curuna et forêt dense en Amazonie, Brésil
Les arbres de l'Amazonie doivent être protégés car ils produisent beaucoup d'oxygène et abritent toutes sortes d'espèces vivantes. Il faudra en convaincre les entreprises qui y coupent du bois et les paysans pauvres qui y trouvent des terres à cultiver après avoir brûlé la forêt.

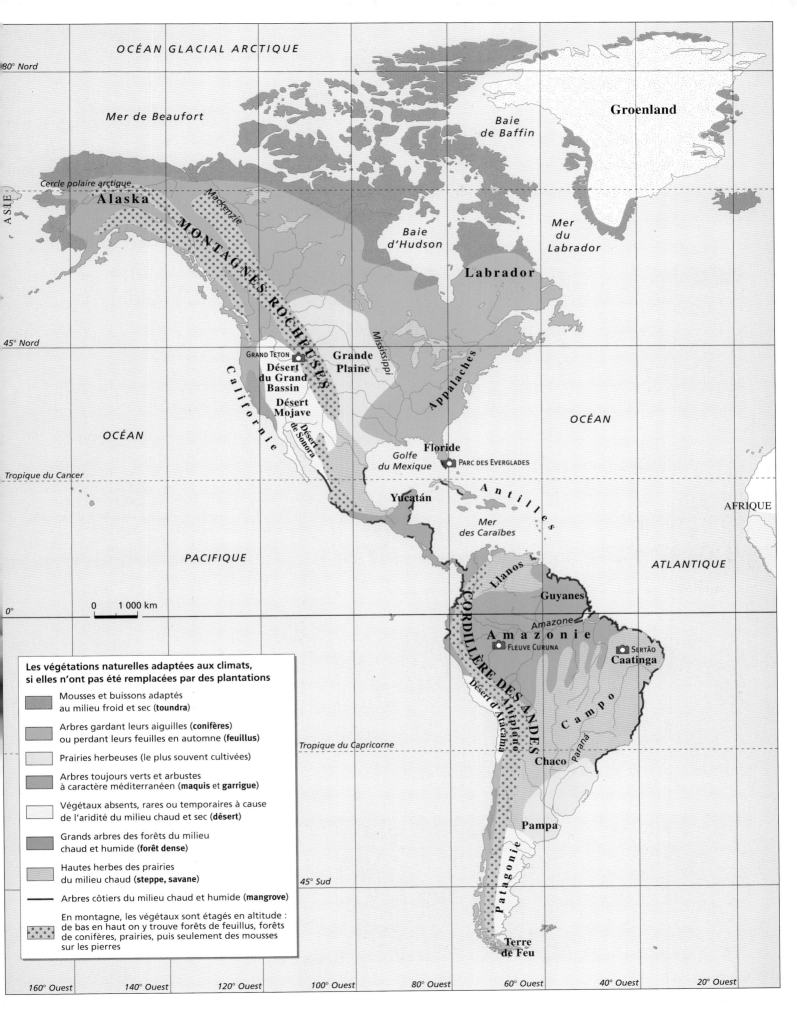

OCÉAN GLACIAL ARCTIQUE

80° Nord

Mer de Beaufort

Groenland

*Baie
de Baffin*

Cercle polaire arctique

A S I E

Alaska

Mackenzie

*Baie
d'Hudson*

*Mer
du
Labrador*

Labrador

M O N T A G N E S   R O C H E U S E S

45° Nord

GRAND TETON

**Grande
Plaine**

Mississippi

Appalaches

*Mer
du
Labrador*

OCÉAN

**Désert
du Grand
Bassin**

C a l i f o r n i e

**Désert
Mojave**

Désert
de Sonora

OCÉAN

Floride

*Golfe
du Mexique*

PARC DES EVERGLADES

Tropique du Cancer

AFRIQUE

OCÉAN

Yucatán

A n t i l l e s

*Mer
des Caraïbes*

ATLANTIQUE

PACIFIQUE

Llanos

Guyanes

C O R D I L L È R E   D E S   A N D E S

Amazone

0°

0   1 000 km

A m a z o n i e

FLEUVE CURUNA

SERTÃO

Caatinga

Désert d'Atacama

Altiplano

C a m p o

Paraná

Les végétations naturelles adaptées aux climats,
si elles n'ont pas été remplacées par des plantations

Tropique du Capricorne

Chaco

Mousses et buissons adaptés
au milieu froid et sec (**toundra**)

Arbres gardant leurs aiguilles (**conifères**)
ou perdant leurs feuilles en automne (**feuillus**)

Prairies herbeuses (le plus souvent cultivées)

Arbres toujours verts et arbustes
à caractère méditerranéen (**maquis** et **garrigue**)

Pampa

Végétaux absents, rares ou temporaires à cause
de l'aridité du milieu chaud et sec (**désert**)

Grands arbres des forêts du milieu
chaud et humide (**forêt dense**)

P a t a g o n i e

Hautes herbes des prairies
du milieu chaud (**steppe, savane**)

45° Sud

Arbres côtiers du milieu chaud et humide (**mangrove**)

En montagne, les végétaux sont étagés en altitude :
de bas en haut on y trouve forêts de feuillus, forêts
de conifères, prairies, puis seulement des mousses
sur les pierres

**Terre
de Feu**

160° Ouest   140° Ouest   120° Ouest   100° Ouest   80° Ouest   60° Ouest   40° Ouest   20° Ouest

L'AFRIQUE

L'Afrique représente un cinquième des terres émergées. Ce continent, qui a donné naissance aux premiers hommes, est le plus chaud de tous puisqu'il est sous l'influence directe de l'équateur et des deux tropiques. Autour de l'équateur, l'humidité permanente a attiré les populations d'agriculteurs qui s'y sont ensuite fixées. En revanche, autour des deux tropiques, deux déserts particulièrement arides sont très faiblement peuplés.

AMÉRIQUE DU NORD

Détroit de Gib

Madère
(Portugal)

Îles Canaries
(Espagne)

MAROC

Tropique du Cancer

MAURITANIE

MA

OCÉAN

CAP-
VERT

SÉNÉGAL

Niger

GAMBIE

GUINÉE-BISSAU

GUINÉE

BURKINA FAS

SIERRA LEONE

CÔTE-
D'IVOIRE

LIBERIA

GHAN

de

ÉQUA

Équateur

ATLANTIQUE

AMÉRIQUE

DU

SUD

Tropique du Capricorne

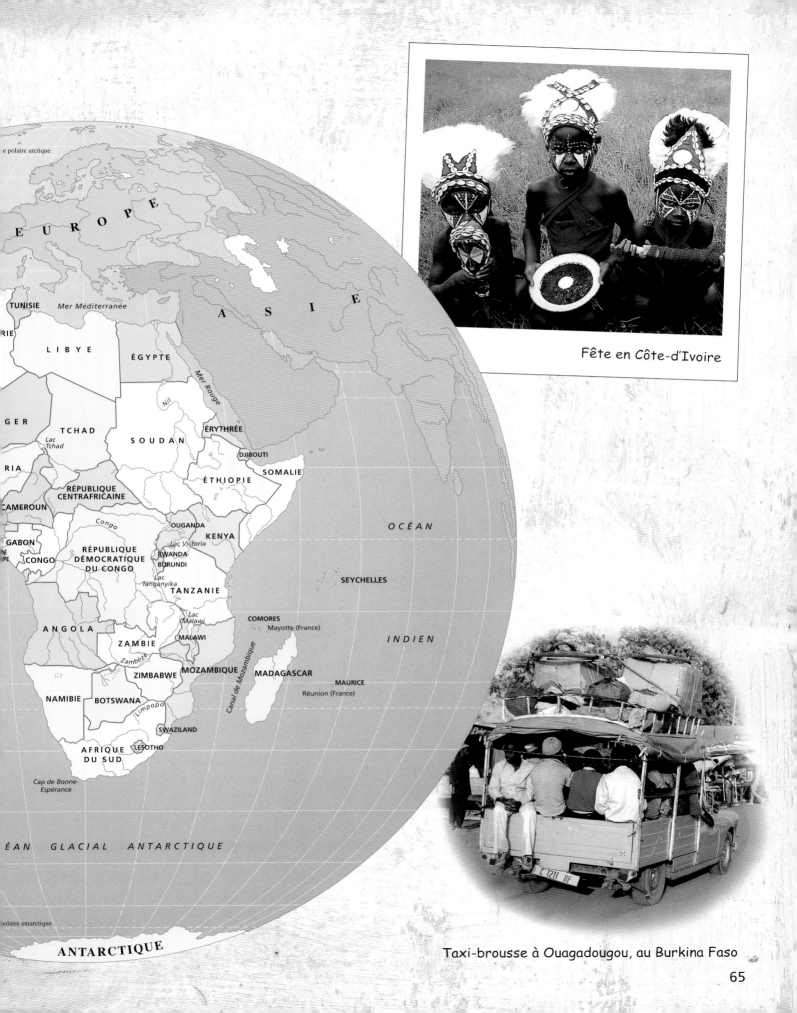

e polaire arctique

E U R O P E

A S I E

TUNISIE · Mer Méditerranée

LIBYE · ÉGYPTE

Mer Rouge

Nil

GER · TCHAD · SOUDAN · ÉRYTHRÉE

Lac Tchad

DJIBOUTI

RIA · SOMALIE

ÉTHIOPIE

RÉPUBLIQUE CENTRAFRICAINE

CAMEROUN · Congo · OUGANDA · KENYA

OCÉAN

GABON · RÉPUBLIQUE DÉMOCRATIQUE DU CONGO · Lac Victoria

CONGO · RWANDA · BURUNDI

SEYCHELLES

Lac Tanganyika · TANZANIE

Lac Malawi

COMORES

ANGOLA · Mayotte (France)

INDIEN

ZAMBIE · MALAWI

Zambèze · MADAGASCAR

ZIMBABWE · MOZAMBIQUE · MAURICE

Canal de Mozambique · Réunion (France)

NAMIBIE · BOTSWANA · Limpopo

SWAZILAND

AFRIQUE DU SUD · LESOTHO

Cap de Bonne-Espérance

ÉAN GLACIAL ANTARCTIQUE

olaire antarctique

ANTARCTIQUE

Fête en Côte-d'Ivoire

Taxi-brousse à Ouagadougou, au Burkina Faso

65

La population

Même en dehors des déserts, les 800 millions d'Africains sont inégalement répartis. Ils se sont rassemblés dans les parties les plus humides : les hautes montagnes d'Éthiopie, l'étroite vallée du Nil, les grands lacs et toute la zone équatoriale. De nos jours, ils se concentrent de plus en plus le long des côtes où se développent rapidement les plus grandes villes.

LUXE ET MODERNISME AU BORD DE MER - **Le Plateau, quartier administratif du centre d'Abidjan, Côte-d'Ivoire**
Le centre d'Abidjan affiche tous les signes extérieurs de son rôle de ville moderne tel ce grand et luxueux hôtel international.

BIDONVILLES AU BORD DES VILLES
Quartier pauvre de Guguletu, Le Cap, Afrique du Sud
Les Noirs d'Afrique du Sud ont obtenu, en 1991, des droits égaux à ceux des Blancs, mais beaucoup n'ont pas les moyens de quitter les quartiers misérables où ils ont été longtemps maintenus.

MAISONS EN « TERRE DE PAILLE » AU BORD DU DÉSERT
Village de bergers près de Tahoua, Niger
Depuis des siècles, les éleveurs de chèvres ont construit à l'identique leurs villages composés de ces maisons carrées et de ces greniers ronds en « banco » de terre et de paille séchée.

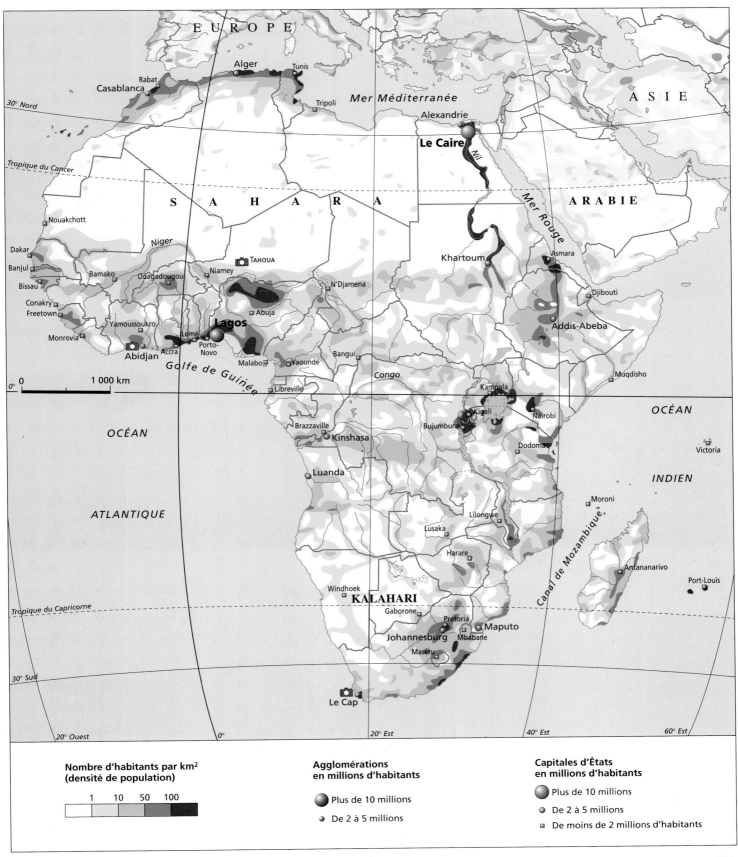

E U R O P E

Alger
Tunis
Rabat
Casablanca

Mer Méditerranée

A S I E

30° Nord

Alexandrie

Tripoli

Le Caire

Nil

Tropique du Cancer

S A H A R A

A R A B I E

Mer Rouge

Nouakchott

Niger

Dakar
Banjul
Bissau
Conakry
Freetown
Monrovia

Bamako
Ouagadougou
Niamey
TAHOUA
N'Djamena

Khartoum

Asmara

Djibouti

Yamoussoukro
Lomé
Accra
Abidjan
Porto-
Novo

Lagos
Abuja

Malabo
Yaoundé
Bangui
Libreville

Addis-Abeba

Muqdisho

Golfe de Guinée

Congo

Kampala

OCÉAN

0   1 000 km

0°

OCÉAN

Brazzaville
Kinshasa

Kigali
Bujumbura

Nairobi

Dodoma

Victoria

Luanda

INDIEN

ATLANTIQUE

Lilongwe

Lusaka

Moroni

Harare

Antananarivo

Canal de Mozambique

Port-Louis

Windhoek

KALAHARI

Tropique du Capricorne

Gaborone
Pretoria
Johannesburg
Mbabane
Maputo
Maseru

30° Sud

Le Cap

20° Ouest   0°   20° Est   40° Est   60° Est

Nombre d'habitants par km²
(densité de population)

1   10   50   100

Agglomérations
en millions d'habitants

Plus de 10 millions

De 2 à 5 millions

Capitales d'États
en millions d'habitants

Plus de 10 millions

De 2 à 5 millions

De moins de 2 millions d'habitants

Le relief

Les paysages les plus répandus en Afrique sont de grandes étendues de plateaux et de plaines. Les montagnes, plutôt situées sur les bordures du continent, sont des réserves de fraîcheur. Une grande fissure a traversé toute l'Afrique orientale, le Rift. Du golfe d'Aden jusqu'au lac Malawi, ce rift se présente sous la forme de fossés profonds envahis par des lacs et parfois encombrés de volcans actifs.

LA VÉRITÉ TOUTE NUE - Tassili Tinrhert, Sahara, Algérie
L'absence de végétation met à nu le squelette minéral du Sahara et permet de lire son histoire dans le paysage. On apprend ainsi que le climat de ces montagnes était plus humide autrefois, ce que confirment des peintures préhistoriques retrouvées sur place.

EN POINT DE MIRE - En vue du Kilimandjaro, Kenya
Au-delà des vastes horizons où le regard se perd, émergent quelques hauts lieux bien en vue. Beaucoup de touristes prennent ici leur rendez-vous avec l'Afrique. Le long des pentes du volcan, ils grimpent de climat en climat, jusqu'au froid glacial.

LE FOSSÉ SE CREUSE - Région des lacs, Rwanda
Ici, la terre s'entrouvre imperceptiblement, mais cette vallée et ce lac seront probablement devenus un bras de mer dans quelques milliers d'années. Pour l'heure, dans ce pays, c'est la guerre civile qui a laissé la plus grave des fractures entre les hommes.

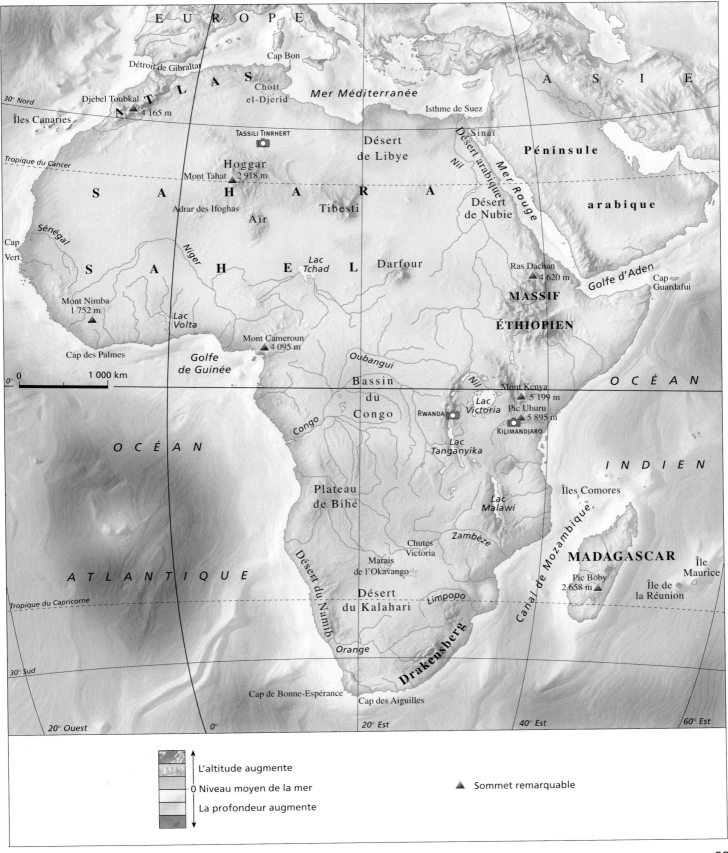

EUROPE

Détroit de Gibraltar

Cap Bon

ATLAS

Chott
el-Djerid

Mer Méditerranée

ASIE

30° Nord

Djebel Toubkal

4 165 m

Isthme de Suez

Sinaï

Îles Canaries

TASSILI TINRHERT

Désert
de Libye

Péninsule

Tropique du Cancer

Hoggar

Mont Tahat   2 918 m

Désert arabique

Nil

Mer Rouge

S   A   H   A   R   A

arabique

Adrar des Ifoghas

Aïr

Tibesti

Désert
de Nubie

Sénégal

Cap
Vert

Niger

S   A   H   E   L

Lac
Tchad

Darfour

Ras Dachan

4 620 m

Golfe d'Aden

Cap
Guardafui

Mont Nimba
1 752 m

Lac
Volta

MASSIF

ÉTHIOPIEN

Cap des Palmes

Golfe
de Guinée

Mont Cameroun
4 095 m

Oubangui

OCÉAN

Bassin

Mont Kenya
5 199 m

0   1 000 km

0°

du

RWANDA

Lac
Victoria

Pic Uhuru
5 895 m

Congo

Congo

KILIMANDJARO

OCÉAN

Lac
Tanganyika

INDIEN

Plateau
de Bihé

Lac
Malawi

Îles Comores

ATLANTIQUE

Désert du Namib

Chutes
Victoria

Zambèze

Canal de Mozambique

MADAGASCAR

Île
Maurice

Marais
de l'Okavango

Pic Boby
2 658 m

Île de
la Réunion

Tropique du Capricorne

Désert
du Kalahari

Limpopo

Orange

Drakensberg

30° Sud

Cap de Bonne-Espérance

Cap des Aiguilles

20° Ouest

0°

20° Est

40° Est

60° Est

L'altitude augmente

0 Niveau moyen de la mer

La profondeur augmente

▲ Sommet remarquable

L'AFRIQUE

Les milieux de vie

Les nuances du climat ont donné naissance à des milieux naturels différents qui s'étendent en bandes parallèles de part et d'autre de l'équateur. Chaque milieu est caractérisé par une végétation et par une faune particulières. Les hommes choisissent les activités économiques qui y sont les mieux adaptées même si, parfois, elles contribuent à épuiser les richesses naturelles sans parvenir à favoriser leur développement.

ARBRES NAINS
Acacias dans le désert, Namibie
Les acacias nains de ce désert écrasé de soleil ne peuvent satisfaire que le grignotage occasionnel d'un troupeau de passage ou l'appétit délicat des quelques antilopes protégées qui y vivent.

ARBRES GÉANTS
Parc national du Tarangire, Tanzanie
Pour affronter la saison sèche dans la savane tropicale, il faut stocker de l'eau. C'est ce que font les baobabs dont les troncs poreux gorgés d'eau n'intéressent pas les bûcherons.

FORÊT TOUJOURS VERTE
Forêt du mont Nimba, Guinée
En montagne, dans la zone équatoriale, la forêt trouve en abondance l'eau nécessaire à la croissance des plus grands arbres. Mais, en Afrique comme en Amazonie, il est nécessaire de protéger les arbres de la convoitise des marchands de bois.

VERTE PRAIRIE
Drakensberg, Transvaal, Afrique du Sud
Le climat tempéré des hauts plateaux d'Afrique du Sud fait pousser « l'herbe à vaches ».

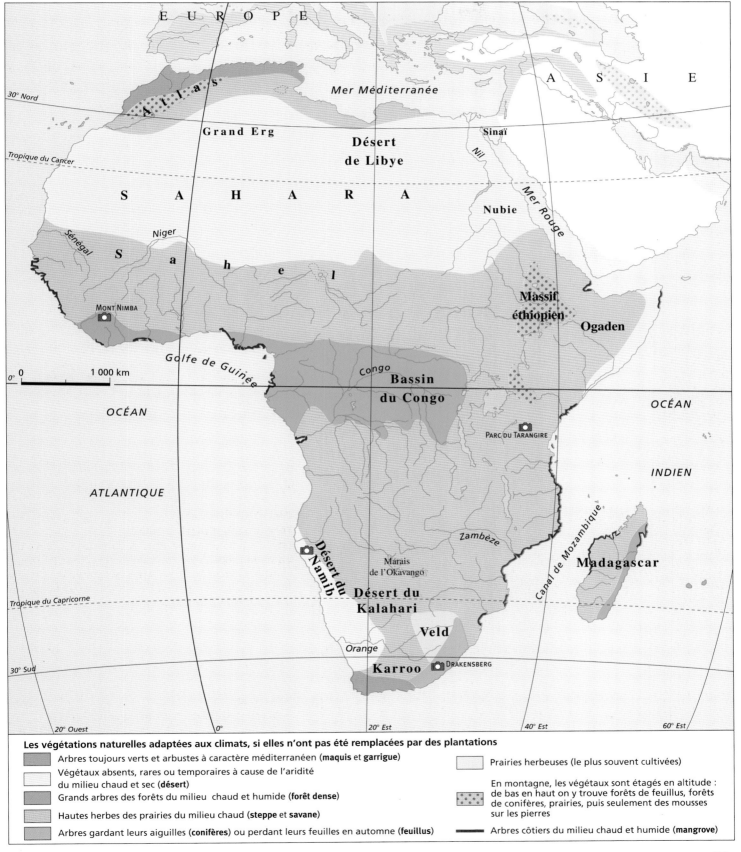

Les végétations naturelles adaptées aux climats, si elles n'ont pas été remplacées par des plantations

Arbres toujours verts et arbustes à caractère méditerranéen (**maquis** et **garrigue**)

Végétaux absents, rares ou temporaires à cause de l'aridité du milieu chaud et sec (**désert**)

Grands arbres des forêts du milieu chaud et humide (**forêt dense**)

Hautes herbes des prairies du milieu chaud (**steppe** et **savane**)

Arbres gardant leurs aiguilles (**conifères**) ou perdant leurs feuilles en automne (**feuillus**)

Prairies herbeuses (le plus souvent cultivées)

En montagne, les végétaux sont étagés en altitude : de bas en haut on y trouve forêts de feuillus, forêts de conifères, prairies, puis seulement des mousses sur les pierres

Arbres côtiers du milieu chaud et humide (**mangrove**)

L'OCÉANIE

L'Océanie est considérée comme un continent, mais on pourrait aussi bien dire que c'est un océan. En tout cas, ce qui la caractérise, c'est le contraste entre la masse continentale plutôt sèche de l'Australie et l'énorme masse liquide parsemée d'îles de l'océan Pacifique. L'Océanie est donc plutôt un ensemble de petits mondes particuliers éparpillés sur un immense espace maritime commun.

OCÉAN PACIFIQUE

Midway
(É.-U.)

Tropique du Cancer

Hawaii
(É.-U.)

MARSHALL

AMÉRIQUE DU NORD

KIRIBATI

Équateur

TUVALU

Tokelau (N.-Z.)

Wallis-
et-Futuna
(F.)

SAMOA
OCCIDENTALES

Samoa
(É.-U.)

Îles Cook
(N.-Z.)

Îles Marquises

NUATU

TONGA

Niue
(N.-Z.)

Îles de
la Société

FIDJI

Archipel
des Tuamotu

velle-
donie (F.)

Polynésie française

OCÉAN PACIFIQUE

Îles Tubuaï

Tropique du Capricorne

Îles Gambier

ligne de changement de date

Pitcairn
(R.-U.)

NOUVELLE-
ZÉLANDE

Îles Chatham
(N.-Z.)

Île de Pâques
(Chili)

Bounty
(N.-Z.)

Antipodes
(N.-Z.)

Auckland
(N.-Z.)

Campbell
(N.-Z.)

Macquarie
(Australie)

CIAL ANTARCTIQUE

Cercle polaire antarctique

Mer de Ross

ANTARCTIQUE

Mer de Weddell

La Nouvelle-Zélande face à L'Italie,
Coupe du Monde de rugby, 1999

Hydravion en Australie

La population

L'Océanie est « le continent » qui a été peuplé le plus tard, d'abord par des peuples venant d'Inde et du sud-est de l'Asie, ensuite par des Européens. Aujourd'hui, ses habitants paraissent bien peu nombreux et bien éloignés les uns des autres. Les grandes villes sont rares et se concentrent sur les rivages de l'Australie.

VILLAGE AU BOUT DU MONDE - Île de Viti Levu, Fidji
Les cases de ce village fidjien sont construites avec des matériaux d'origine végétale, prélevés aux alentours. L'essentiel de la nourriture consommée est produit sur place car l'absence de route goudronnée rend difficiles les échanges avec l'extérieur.

CŒUR DE VERRE ET D'ACIER - Au centre de Sydney, Australie
Un monorail suspendu, glissant entre les murs de verre et d'acier, transporte les employés des bureaux qui occupent les tours du centre de Sydney. Ils habitent dans des quartiers parfois éloignés car la ville, de construction récente, est très étalée.

LABOURAGE À SEC - Ferme isolée dans l'ouest de l'Australie
Raccordée à une réserve d'eau, cette ferme ressemble à une oasis dans le désert. D'ailleurs les agriculteurs doivent économiser l'eau s'ils veulent récolter quelque chose dans cette partie aride de l'Australie.

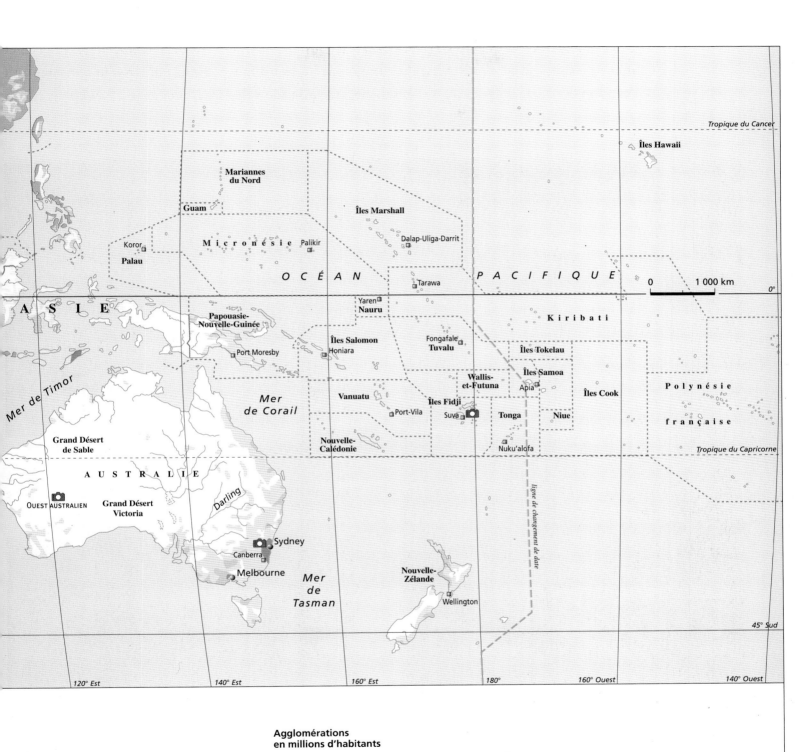

Tropique du Cancer

Îles Hawaii

Mariannes du Nord

Guam

Îles Marshall

Dalap-Uliga-Darrit

Koror
M i c r o n é s i e   Palikir
Palau

O C É A N

P A C I F I Q U E

0   1 000 km

0°

Tarawa

Yaren
Nauru

K i r i b a t i

A S I E

Papouasie-Nouvelle-Guinée

Port Moresby

Îles Salomon
Honiara

Fongafale
Tuvalu

Îles Tokelau

Îles Samoa
Apia

Mer de Timor

Mer de Corail

Vanuatu

Wallis-et-Futuna

Îles Fidji

Îles Cook

P o l y n é s i e

Port-Vila

Suva

Tonga

Niue

f r a n ç a i s e

Grand Désert de Sable

Nouvelle-Calédonie

Nuku'alofa

Tropique du Capricorne

A U S T R A L I E

OUEST AUSTRALIEN

Grand Désert Victoria

Darling

ligne de changement de date

Sydney

Canberra

Melbourne

Mer de Tasman

Nouvelle-Zélande

Wellington

45° Sud

120° Est   140° Est   160° Est   180°   160° Ouest   140° Ouest

**Agglomérations
en millions d'habitants**

● De 2 à 5 millions

**Nombre d'habitants par km²
(densité de population)**

1   10   50   100

- - - - - - -   **Frontières maritimes
des États de l'océan Pacifique**

**Capitales d'États
en millions d'habitants**

□ De moins de 2 millions d'habitants

Le relief

Le relief de l'Océanie est très contrasté : d'un côté l'étonnante platitude de l'Australie, qui est une île grande comme un continent ; de l'autre les formes variées d'une multitude d'îles dont certaines sont les sommets de montagnes sous-marines et d'autres des îlots de corail.

L'ÎLE AU TRÉSOR - Treasure Island, îles Fidji
L'archipel Fidji est composé de deux îles principales et d'une myriade d'îlots. Celui de Treasure Island est un club de vacances qui a été aménagé en village fidjien traditionnel. Vue du ciel, c'est toute l'île qui semble faire du surf...

UNE ÎLE SANGUINAIRE À L'HORIZON ? - Ayers Rock au soleil couchant, Australie
Constitué d'un grès rouge très résistant, Ayers Rock se dresse au-dessus d'un désert très plat. Cette montagne sacrée pour les aborigènes, les premiers habitants de l'Australie, est un lieu photogénique qui fait figure d'emblème de l'Australie.

ALPES DES ANTIPODES - Lac Wakatipu, Nouvelle-Zélande
Au pied des sommets enneigés d'une chaîne de montagnes qui rappelle les Alpes européennes, le bleu intense des eaux d'un lac d'origine glaciaire constitue un décor somptueux dans l'une des régions les plus touristiques de Nouvelle-Zélande.

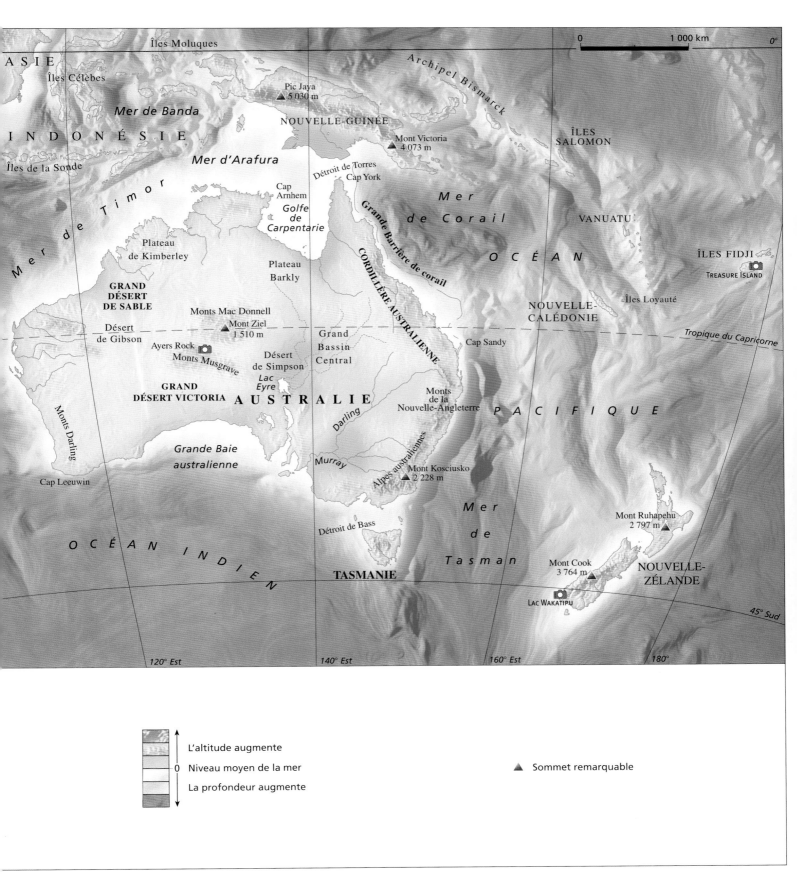

Îles Moluques

A S I E

Îles Célèbes

Mer de Banda

I N D O N É S I E

Îles de la Sonde

Mer d'Arafura

Pic Jaya
▲ 5 030 m

NOUVELLE-GUINÉE

Mont Victoria
▲ 4 073 m

Détroit de Torres
Cap York

Archipel Bismarck

ÎLES SALOMON

Mer de Corail

Mer de Timor

Cap Arnhem

Golfe de Carpentarie

Grande Barrière de corail

O C É A N

VANUATU

ÎLES FIDJI
TREASURE ISLAND

Plateau de Kimberley

Plateau Barkly

GRAND DÉSERT DE SABLE

Monts Mac Donnell
▲ Mont Ziel
1 510 m

CORDILLÈRE AUSTRALIENNE

Cap Sandy

NOUVELLE-CALÉDONIE

Îles Loyauté

Tropique du Capricorne

Désert de Gibson

Ayers Rock

Monts Musgrave

Désert de Simpson

Grand Bassin Central

GRAND DÉSERT VICTORIA

Lac Eyre

A U S T R A L I E

Monts de la Nouvelle-Angleterre

P A C I F I Q U E

Monts Darling

Darling

Murray

Alpes australiennes

Mont Kosciusko
▲ 2 228 m

Mont Ruhapehu
2 797 m ▲

Grande Baie australienne

Cap Leeuwin

Mer de Tasman

Mont Cook
3 764 m ▲

NOUVELLE-ZÉLANDE

O C É A N   I N D I E N

Détroit de Bass

TASMANIE

LAC WAKATIPU

45° Sud

120° Est

140° Est

160° Est

180°

0   1 000 km

0°

L'altitude augmente

0 Niveau moyen de la mer

La profondeur augmente

▲ Sommet remarquable

Les milieux de vie

La plage de sable blanc, l'eau turquoise et les cocotiers composent le tableau unique de l'Océanie touristique que l'on vient visiter. En réalité, de grands contrastes existent entre les milieux naturels. En effet, chaque archipel, chaque île constitue un milieu unique et souvent mal connu. Ces milieux sont d'autant plus fragiles qu'ils sont isolés et se sont développés à l'écart des autres milieux.

SOUS LE VENT DES ÎLES
Rangiroa, Polynésie française
Au bord de l'immense plage de sable fin, les cocotiers s'inclinent sous un vent violent qui s'est renforcé en parcourant des milliers de kilomètres à la surface de l'océan Pacifique. Les touristes venus goûter au charme réputé paradisiaque de la Polynésie se sont mis à l'abri...

SOUS LA MER LES COULEURS VIVENT
Récif de corail aux îles Salomon
À quelques mètres sous la surface, la mer prend des tons féeriques. Le rouge écarlate des coraux, les dégradés de bleu, les éclats argentés d'un banc de poissons, tout invite à la contemplation. Pas étonnant que de nombreux pêcheurs fréquentent ces fonds sous-marins dont ils connaissent la richesse et la fragilité.

AU PAYS DES KANGOUROUS
Grand Désert Victoria, Australie
De l'herbe rase sur un sol rougeâtre : c'est le « bush ».
Il constitue près des deux tiers des paysages de l'Australie. La pluie et les hommes y sont rares, mais pas les kangourous.

POUR SE METTRE AU VERT
Îles Flinders, région de Tasmanie, Australie
L'île de Tasmanie est située au sud-est de l'Australie où elle bénéficie d'un climat tempéré. Elle offre le vert de ses pâturages et de ses forêts de pins aux nombreux moutons qui sont une de ses richesses.

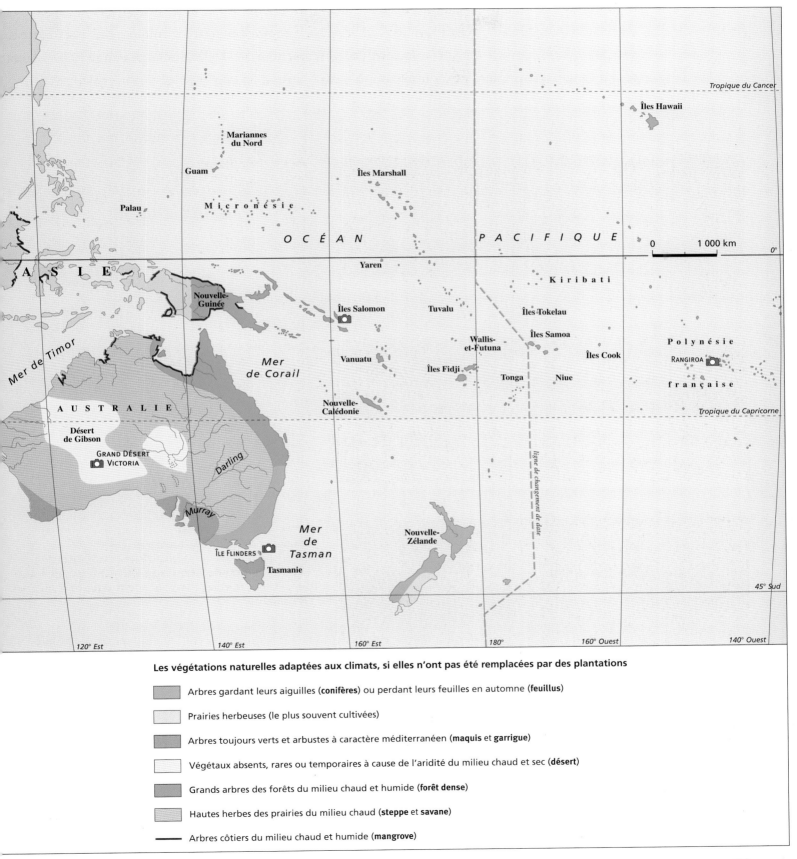

Les végétations naturelles adaptées aux climats, si elles n'ont pas été remplacées par des plantations

Arbres gardant leurs aiguilles (**conifères**) ou perdant leurs feuilles en automne (**feuillus**)

Prairies herbeuses (le plus souvent cultivées)

Arbres toujours verts et arbustes à caractère méditerranéen (**maquis** et **garrigue**)

Végétaux absents, rares ou temporaires à cause de l'aridité du milieu chaud et sec (**désert**)

Grands arbres des forêts du milieu chaud et humide (**forêt dense**)

Hautes herbes des prairies du milieu chaud (**steppe** et **savane**)

Arbres côtiers du milieu chaud et humide (**mangrove**)

Les richesses du monde

Toute richesse vient d'abord du sol et peu d'endroits en sont totalement dépourvus. C'est dans les pays pauvres de la zone chaude qu'il y a le plus de paysans. C'est dans les pays riches de la zone tempérée que l'agriculture rapporte le plus. Comme le pétrole, qui est souvent utilisé loin du pays d'où il a été extrait, les matières premières font l'objet d'importants échanges commerciaux entre leurs producteurs et leurs consommateurs.

VERS L'OR ? - Mine d'or de la Serra Pelada, Brésil
Ces hommes cherchent fortune en grattant la terre d'une mine à ciel ouvert.
Ils risquent d'y perdre la santé et peut-être l'espoir.

L'OR VERT - Récolte de céréales au Kansas, États-Unis
Quelques milliers d'agriculteurs et leurs puissantes machines ont implanté au cœur des États-Unis
un des garde-manger du monde d'où ils exportent partout leur blé, leur maïs, leur soja.

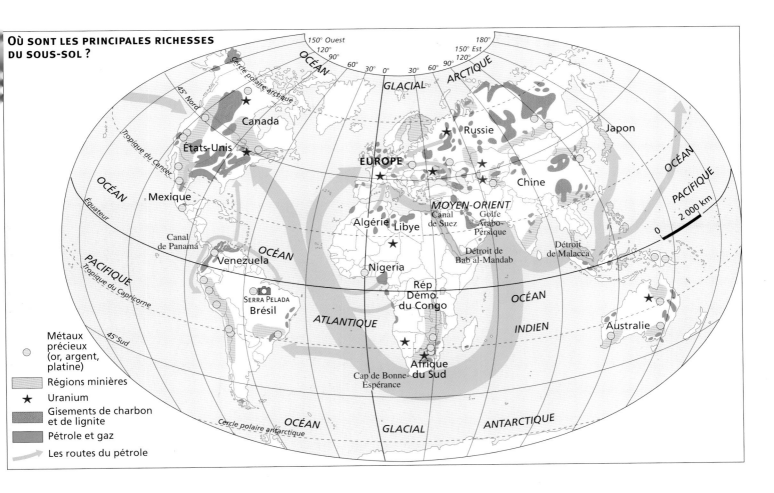

OÙ SONT LES PRINCIPALES RICHESSES DU SOUS-SOL ?

150° Ouest
120°
90°
60°
30°
0°
30°
60°
90°
120°
150° Est
180°

OCÉAN GLACIAL ARCTIQUE

Cercle polaire arctique

Canada

Russie

Japon

États-Unis

45° Nord

EUROPE

Chine

OCÉAN PACIFIQUE

Tropique du Cancer

OCÉAN

Mexique

MOYEN-ORIENT
Canal de Suez
Golfe Arabo-Persique

2 000 km

Équateur

0

Canal de Panamá

OCÉAN

Algérie Libye

Détroit de Bab al-Mandab

Détroit de Malacca

PACIFIQUE

Venezuela

Nigeria

Tropique du Capricorne

SERRA PELADA
Brésil

Rép Démo. du Congo

OCÉAN

45° Sud

ATLANTIQUE

INDIEN

Australie

Métaux précieux (or, argent, platine)

Cap de Bonne-Espérance

Afrique du Sud

Régions minières

★ Uranium

Gisements de charbon et de lignite

Pétrole et gaz

Les routes du pétrole

Cercle polaire antarctique

OCÉAN GLACIAL ANTARCTIQUE

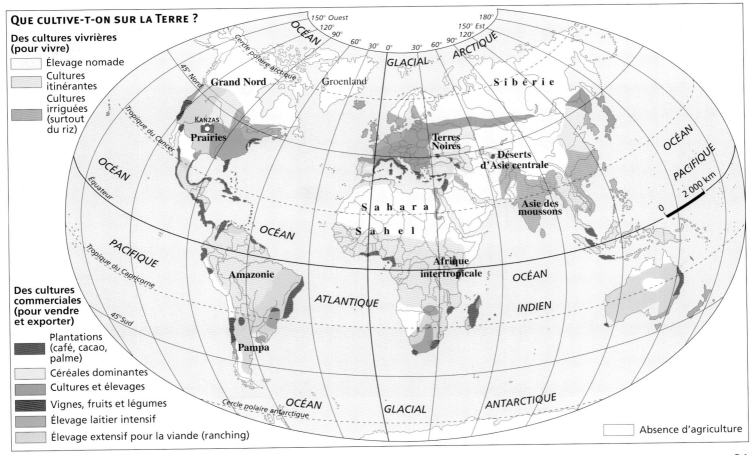

QUE CULTIVE-T-ON SUR LA TERRE ?

150° Ouest
120°
90°
60°
30°
0°
30°
60°
90°
120°
150° Est
180°

Des cultures vivrières (pour vivre)

Élevage nomade

Cultures itinérantes

Cultures irriguées (surtout du riz)

OCÉAN GLACIAL ARCTIQUE

Cercle polaire arctique

Grand Nord

Groenland

Sibérie

45° Nord

Tropique du Cancer

KANZAS
Prairies

Terres Noires

Déserts d'Asie centrale

OCÉAN PACIFIQUE

OCÉAN

2 000 km

0

Équateur

Sahara

Asie des moussons

PACIFIQUE

Sahel

OCÉAN

Tropique du Capricorne

Amazonie

Afrique intertropicale

OCÉAN

Des cultures commerciales (pour vendre et exporter)

45° Sud

ATLANTIQUE

INDIEN

Pampa

Plantations (café, cacao, palme)

Céréales dominantes

Cultures et élevages

Vignes, fruits et légumes

Élevage laitier intensif

Élevage extensif pour la viande (ranching)

Cercle polaire antarctique

OCÉAN GLACIAL ANTARCTIQUE

Absence d'agriculture

81

Riches et pauvres

Les chiffres officiels sont cruels : 15 % d'hommes, qui ont la chance d'habiter dans les pays les plus riches, disposent de 80 % des richesses du monde alors que les hommes de tous les autres pays se partagent seulement 20 % des richesses. L'aide que les pays riches apportent aux pays pauvres est nécessaire, mais elle ne change pas cette inégalité. Il ne faut pas oublier que chaque pays a aussi ses pauvres et ses riches, ses trop pauvres et ses trop riches même...

ELLES NE PRÊTENT QU'AUX PAUVRES - Banque des rues au Bangladesh
Ces femmes ont organisé dans la rue une coopérative financière qui vient en aide aux pauvres souhaitant monter un petit commerce. Aux yeux de tous, elles avancent la somme dont ils ont besoin pour démarrer et ils la rembourseront à faible taux d'intérêt.

ILS JONGLENT AVEC LES MILLIARDS - Bourse de Bombay, Inde
Ces hommes observent les chiffres qui s'inscrivent sur les écrans pour savoir où investir l'argent de leurs clients. Bien que les billets de banque ne passent pas entre leurs mains, ils déplacent très vite d'énormes sommes d'argent d'un bout à l'autre du monde.

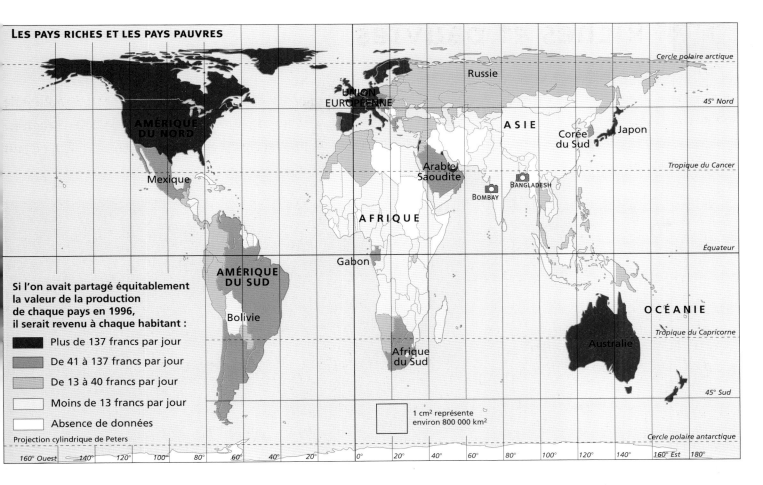

LES PAYS RICHES ET LES PAYS PAUVRES

Russie

UNION EUROPÉENNE

AMÉRIQUE DU NORD

A S I E

Corée du Sud

Japon

Mexique

Arabie Saoudite

BANGLADESH

BOMBAY

A F R I Q U E

Gabon

AMÉRIQUE DU SUD

Bolivie

OCÉANIE

Australie

Afrique du Sud

Si l'on avait partagé équitablement la valeur de la production de chaque pays en 1996, il serait revenu à chaque habitant :

- Plus de 137 francs par jour
- De 41 à 137 francs par jour
- De 13 à 40 francs par jour
- Moins de 13 francs par jour
- Absence de données

Projection cylindrique de Peters

1 cm² représente environ 800 000 km²

Cercle polaire arctique

45° Nord

Tropique du Cancer

Équateur

Tropique du Capricorne

45° Sud

Cercle polaire antarctique

160° Ouest · 140° · 120° · 100° · 80° · 60° · 40° · 20° · 0° · 20° · 40° · 60° · 80° · 100° · 120° · 140° · 160° Est · 180°

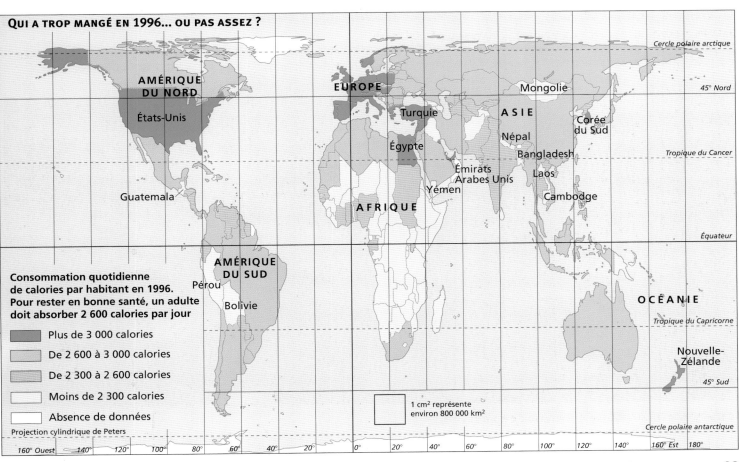

QUI A TROP MANGÉ EN 1996... OU PAS ASSEZ ?

AMÉRIQUE DU NORD

États-Unis

EUROPE

Mongolie

Turquie

A S I E

Corée du Sud

Népal

Égypte

Bangladesh

Émirats Arabes Unis

Laos

Yémen

Cambodge

Guatemala

A F R I Q U E

AMÉRIQUE DU SUD

Pérou

Bolivie

OCÉANIE

Nouvelle-Zélande

Consommation quotidienne de calories par habitant en 1996. Pour rester en bonne santé, un adulte doit absorber 2 600 calories par jour

- Plus de 3 000 calories
- De 2 600 à 3 000 calories
- De 2 300 à 2 600 calories
- Moins de 2 300 calories
- Absence de données

Projection cylindrique de Peters

1 cm² représente environ 800 000 km²

Cercle polaire arctique

45° Nord

Tropique du Cancer

Équateur

Tropique du Capricorne

45° Sud

Cercle polaire antarctique

160° Ouest · 140° · 120° · 100° · 80° · 60° · 40° · 20° · 0° · 20° · 40° · 60° · 80° · 100° · 120° · 140° · 160° Est · 180°

Un monde d'échanges

Aujourd'hui, aucun pays ne peut plus vivre longtemps replié sur lui-même en ne comptant que sur ses propres ressources. Tous veulent exporter plus pour pouvoir importer plus. L'Europe de l'Ouest, l'Amérique du Nord et le Japon sont les principaux carrefours des voies aériennes et maritimes du commerce mondial.

Increvable bicyclette - Cuchi, Viêt-nam
La grande majorité des Vietnamiens, qui ne sont pas encore assez riches pour acheter de nombreuses automobiles,
sont capables de déplacer des montagnes de marchandises sur leurs bicyclettes !

Le grand voyage des petites japonaises - Port de Cherbourg, France
Le Japon exporte ses automobiles dans le monde entier. Après leur long voyage en bateau, celles qui seront
vendues dans une grande partie de l'Europe occidentale sont débarquées dans le port français de Cherbourg.

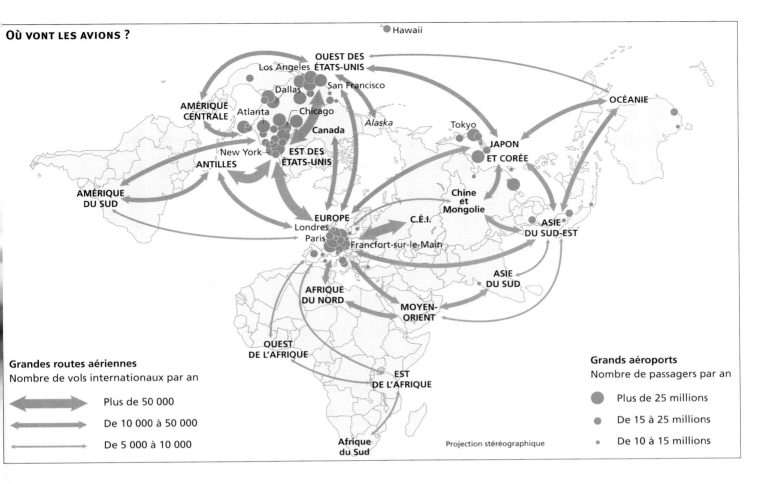

OÙ VONT LES AVIONS ?

Hawaii

OUEST DES ÉTATS-UNIS

Los Angeles

San Francisco

Dallas

AMÉRIQUE CENTRALE

Atlanta

Chicago

Canada

Alaska

OCÉANIE

Tokyo

JAPON ET CORÉE

New York

EST DES ÉTATS-UNIS

ANTILLES

Chine et Mongolie

AMÉRIQUE DU SUD

EUROPE

Londres

Paris

Francfort-sur-le-Main

C.É.I.

ASIE DU SUD-EST

AFRIQUE DU NORD

ASIE DU SUD

MOYEN-ORIENT

OUEST DE L'AFRIQUE

EST DE L'AFRIQUE

Afrique du Sud

Grandes routes aériennes
Nombre de vols internationaux par an

Plus de 50 000

De 10 000 à 50 000

De 5 000 à 10 000

Grands aéroports
Nombre de passagers par an

Plus de 25 millions

De 15 à 25 millions

De 10 à 15 millions

Projection stéréographique

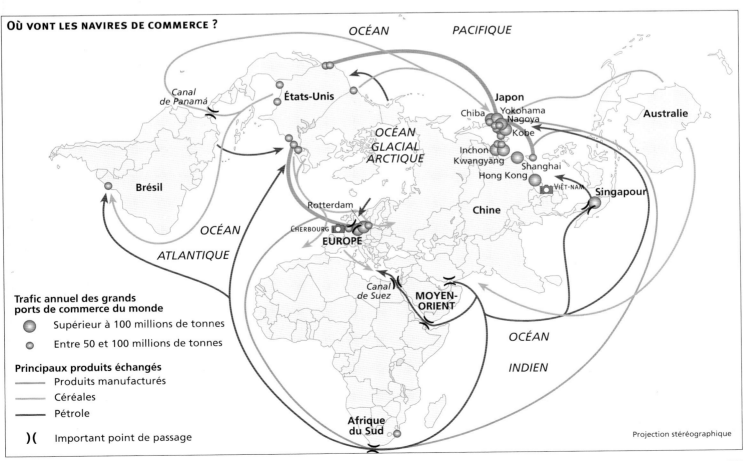

OÙ VONT LES NAVIRES DE COMMERCE ?

OCÉAN PACIFIQUE

Canal de Panamá

États-Unis

Japon

Chiba

Yokohama

Nagoya

Kobe

OCÉAN GLACIAL ARCTIQUE

Inchon

Kwangyäng

Shanghai

Hong Kong

Australie

Brésil

Rotterdam

CHERBOURG

EUROPE

Chine

VIÊT-NAM

Singapour

OCÉAN ATLANTIQUE

Canal de Suez

MOYEN-ORIENT

OCÉAN INDIEN

Trafic annuel des grands ports de commerce du monde

Supérieur à 100 millions de tonnes

Entre 50 et 100 millions de tonnes

Principaux produits échangés

Produits manufacturés

Céréales

Pétrole

)(Important point de passage

Afrique du Sud

Projection stéréographique

85

La planète menacée

On craint que le réchauffement du climat ne soit dû à la pollution de l'atmosphère par les activités des hommes. Les techniques modernes permettent de vaincre les contraintes de la nature mais elles entraînent souvent un gaspillage des ressources non renouvelables. Un équilibre doit être trouvé entre le développement économique et la protection de la nature. Mais tous les pays n'ont pas les mêmes priorités.

L'EAU SORTIE DE TERRE - Irrigation à Wadi Rum, Jordanie
Le pompage des nappes d'eau souterraines permet d'irriguer des cultures dans le désert. La forme circulaire des champs est due à la rotation des rampes d'arrosage automatique. C'est ainsi qu'on produit le blé le plus cher du monde.

L'EAU SE RETIRE DE LA MER - Mer d'Aral, Kazakhstan
Cet ancien rivage montre que la mer d'Aral s'assèche. Depuis qu'on irrigue les cultures de coton avec l'eau des rivières qui s'y jettent, sa surface a diminué de moitié et son eau est devenue trois fois plus salée.

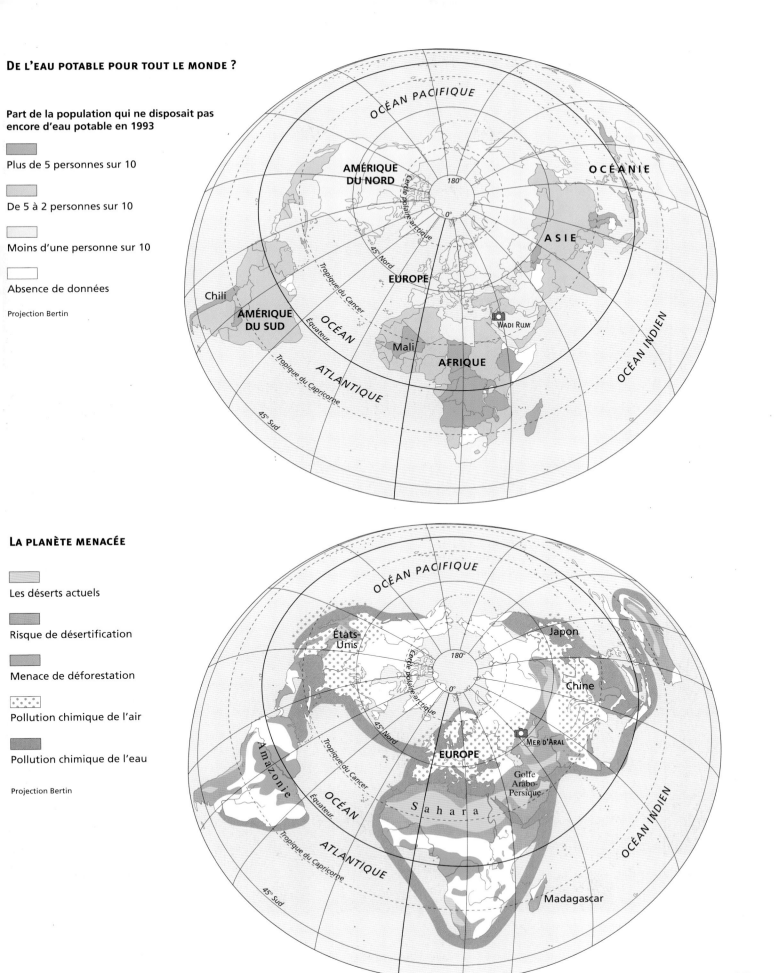

DE L'EAU POTABLE POUR TOUT LE MONDE ?

Part de la population qui ne disposait pas encore d'eau potable en 1993

Plus de 5 personnes sur 10

De 5 à 2 personnes sur 10

Moins d'une personne sur 10

Absence de données

Projection Bertin

OCÉAN PACIFIQUE

AMÉRIQUE DU NORD

OCÉANIE

Cercle polaire arctique

180°

0°

ASIE

45° Nord

Tropique du Cancer

EUROPE

Chili

AMÉRIQUE DU SUD

OCÉAN

Équateur

Mali

WADI RUM

AFRIQUE

OCÉAN INDIEN

ATLANTIQUE

Tropique du Capricorne

45° Sud

LA PLANÈTE MENACÉE

Les déserts actuels

Risque de désertification

Menace de déforestation

Pollution chimique de l'air

Pollution chimique de l'eau

Projection Bertin

OCÉAN PACIFIQUE

États-Unis

Japon

Cercle polaire arctique

180°

0°

Chine

45° Nord

Tropique du Cancer

Amazonie

EUROPE

MER D'ARAL

Golfe Arabo-Persique

OCÉAN

Équateur

S a h a r a

ATLANTIQUE

Tropique du Capricorne

OCÉAN INDIEN

45° Sud

Madagascar

Un seul monde ?

La mondialisation des échanges met en contact des traditions, des civilisations et des économies très différentes. Il arrive donc à chaque instant qu'elles s'affrontent, qu'elles s'imitent ou qu'elles se confondent. Le monde de demain sera différent car il sera le résultat de ce mélange plus ou moins harmonieux et plus ou moins bien vécu.

UN CANARD LAQUÉ À PARIS?
Centre commercial du quartier chinois de Paris, France
Dans presque toutes les villes du monde, il y a des restaurants asiatiques.

DONALD À PÉKIN
Enseigne McDonald's® dans un centre commercial de Pékin, Chine
Dans presque toutes les villes du monde, il y a des restaurants américains.

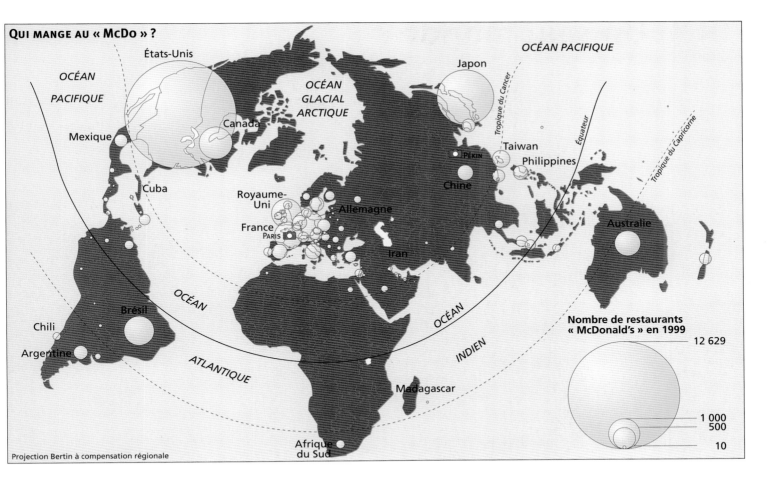

Qui mange au « McDo » ?

OCÉAN PACIFIQUE

OCÉAN PACIFIQUE

États-Unis

OCÉAN GLACIAL ARCTIQUE

Japon

Mexique

Canada

Taiwan

Philippines

Cuba

PÉKIN

Chine

Royaume-Uni

Allemagne

France

PARIS

Australie

Iran

Chili

Brésil

OCÉAN

OCÉAN

Argentine

INDIEN

ATLANTIQUE

Madagascar

Afrique du Sud

Tropique du Cancer

Équateur

Tropique du Capricorne

Nombre de restaurants « McDonald's » en 1999

12 629

1 000
500

10

Projection Bertin à compensation régionale

Les interventions de « Médecins sans Frontières » en 2001

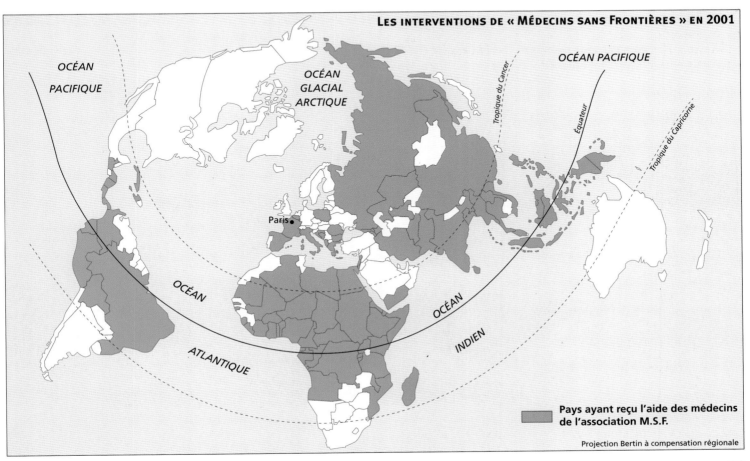

OCÉAN PACIFIQUE

OCÉAN PACIFIQUE

OCÉAN GLACIAL ARCTIQUE

Paris

OCÉAN

OCÉAN

INDIEN

ATLANTIQUE

Tropique du Cancer

Équateur

Tropique du Capricorne

Pays ayant reçu l'aide des médecins de l'association M.S.F.

Projection Bertin à compensation régionale

89

Index

Tous les lieux se trouvant dans les cartes sont classés de A à Z. Les numéros indiquent les pages où se trouve le nom indiqué. Lorsqu'il y a plusieurs numéros, celui qui est en **gras** renvoie à la carte où ce nom a une importance particulière.
Le logo ■ indique les États, le logo ❊ indique les capitales d'État, le logo ● indique les cours d'eau.

Abidjan 67
Abu Dhabi ❊ 51
Abuja ❊ 67
Accra ❊ 67
Achgabat ❊ 51
Aconcagua ● 61
Açores 40
Addis-Abeba ❊ 67
Adélie (terre) 23
Aden (golfe d') 53, **69**
Adriatique (mer) 45
Afghanistan ■ **48**, 95
Afrique **64-65**, 67, 69, 71, 94-95
Afrique du Sud ■ **65**, 95
Ahmedabad 51
Aïr 69
Alaska **56**, 59, 61, 63, 94
Albanie ■ **41**, 95
Aléoutiennes (îles) 53
Alexandrie 67
Alger ❊ 67
Algérie ■ **65**, 94
Allemagne ■ **41**, 94
Along 55
Along (baie d') 53
Alpes 43, **45**, 47
Altaï 53
Altiplano 63
Amazone ● 57, 59, **61**, 63
Amazonie 59, **61**, 63
Amérique **56-57**, 59, 61, 63, 94
Amman ❊ 51
Amou-Daria ● 48, **53**, 55
Amour ● 49, **53**, 55
Amsterdam ❊ 43
Anatolie 45, **53**, 55
Andalousie 45
Andaman 49
Andes (cordillère des) **61**, 63
Andorre ■ **40**, 94
Andorre-la-Vieille ❊ 43
Angara ● 49, **53**
Angola ■ **65**, 95
Ankara ❊ **51**
Annapurna 53
Antananarivo ❊ **67**
Antarctique **23**, **39**, 57, 65, 73, 94-95
Antigua et Barbuda ■ **57**, 94
Antilles **61**, 63
Antipodes 73
Apennin 45
Apia ❊ 75
Appalaches **61**, 63
Arabie (désert d') 53
Arabie Saoudite ■ **48**, 95
Arabo-Persique (golfe) 48, **53**
Arafura (mer d') 72, **77**
Aral (mer d') 48, 51, **53**, 55
Archipel des Tuamotu 73
Arctique (océan Glacial) **38**, 41, 49, 57
Arequipa 61
Argentine ■ **57**, 94
Arménie ■ **48**, 95
Asie **48-49**, 51, 53, 55, 95
Asmara ❊ 67
Astana ❊ 51
Asunción ❊ 59
Atacama (désert d') 63
Athabasca (lac) 57
Athènes ❊ 43
Atlanta 59
Atlantique (océan) **38-39**, 40, 45, 53, 57, 64
Atlas **69**, 71
Aubrac (monts d') 47
Auckland (île) 73
Australie ■ **72**, 75, 77, 79, 95
Autriche ■ **41**, 95
Ayers Rock 77
Azerbaïdjan ■ **48**, 95
Baffin (terre de) 61
Bagdad ❊ 51
Bahamas ■ **57**, 94
Bahreïn ■ **48**, 95
Baïkal (lac) 49, **53**, 55
Bakou ❊ 51
Baléares **40**, 45
Bali 53
Balkach (lac) 49, **53**, 55
Balkan **45**, 47
Baltimore 59
Baltique (mer) 41, 43, **45**, 47
Bamako ❊ 67
Banda (mer de) 77
Bandar Seri Begawan ❊ 51
Bandung 51
Bangalore 51
Bangkok ❊ 51
Bangladesh ■ **49**, 95
Bangui ❊ 67
Banjul ❊ 67
Barbade ■ **57**, 94
Barcelone 43
Barents (mer de) 41, 43, **45**, 47, 49, 53
Barkly (plateau) 77
Bass (détroit de) 77
Beaufort (mer de) 57, 59, **61**, 63
Beijing (Pékin) ❊ 51
Belém 59
Belgique ■ **40**, 94
Belgrade ❊ 43
Belize ■ **57**, 94
Belmopan ❊ 59
Belo Horizonte 59
Belutchka (mont) 53
Ben Nevis 45
Bengale 55
Bénin ■ **64**, 94
Béring (mer de) 49, 51, **53**, 55
Berlin ❊ 43
Bermudes **57**, 94
Berne ❊ 43
Beyrouth ❊ 51
Bhoutan ■ **49**, 95
Bichkek ❊ 51
Biélorussie ■ **41**, 95
Bihé (plateau de) 69
Birmanie (Myanmar) ■ **49**, 95
Birmingham 43
Bismarck (archipel) 77
Bissau ❊ 67
Blanc (mont) 45
Boby (pic) 69
Bogotá ❊ 59
Bolivie ■ **57**, 94
Bombay (voir Mumbai) 51
Bonne-Espérance (cap de) 69
Bornéo **49**, 53, 55
Bosnie-Herzégovine ■ **41**, 95
Bosphore 45
Boston 59
Botswana ■ **65**, 95
Bounty 73
Bouvet (île) 23
Brahmapoutre ● 49, **53**
Brasília ❊ 59
Bratislava ❊ 43
Brazzaville ❊ 67
Brésil ■ **57**, 94
Britanniques (îles) 47
Brunei ■ **49**, 95
Bruxelles ❊ 43
Bucarest ❊ 43
Budapest ❊ 43
Buenos Aires ❊ 59
Bujumbura ❊ 67
Bulgarie ■ **41**, 95
Burkina Faso **64**, 94
Burundi **65**, 95
C.É.I. 85a
Caatinga 63
Caire (Le) ❊ 67
Calcutta (voir Kolkota) 51
Californie 63
Cambodge ■ **49**, 95
Cameroun ■ **65**, 95
Cameroun (mont) 69
Campbell (îles) 73
Campo 63
Canada ■ **57**, 94
Canaries (îles) **40**, 64, 69, 94
Canberra ❊ 75
Cap (Le) 67
Cap-Vert ■ **64**, 94
Caracas ❊ 59
Caraïbes (mer des) 59, **61**, 63
Carpates 43, **45**, 47
Casablanca 67
Caspienne (mer) 41, 45, 48, 51, **53**, 55
Caucase 43, 45, 47, **53**, 55
Célèbes **49**, 53, 77
Centrafricaine (rép.) ■ **65**, 95
Ceylan **53**, 55
Chaco 63
Chamonix 45
Changchun 51
Chatham (îles) 73
Chengdu 51
Chennai (Madras) 51
Chicago 59
Chili ■ **57**, 94
Chimborazo 61
Chine ■ **49**, 53, 95
Chine (mer de) 49, 51, **53**, 55
Chisinau ❊ 43
Chittagong 51
Chongqing 51
Chypre ■ 45, **48**, 95
Cologne 43
Colombie ■ **57**, 94
Colombo ❊ 51
Colorado ● 61
Communisme (pic) 53
Comores ■ **65**, 69, 95
Conakry ❊ 67
Congo ■ **65**, 95
Congo ● 65, 67, **69**, 71
Congo (république démocratique du) ■ **65**, 95
Connemara 47
Cook (îles) **73**, 75, 79
Cook (mont) 77
Copenhague ❊ 43
Corail (mer de) 72, 75, **77**, 79
Corée 53
Corée du Nord ■ **49**, 95
Corée du Sud ■ **49**, 95
Corse **40**, 45
Costa Rica ■ **57**, 94
Côte-d'Ivoire ■ **64**, 94
Crète **41**, 45
Crimée **45**, 47
Croatie ■ **41**, 95
Crozet (île) 23
Cuba ■ **57**, 94
Curitiba 59
Curuna 63
Dachan (Ras) 69
Dakar ❊ 67
Dalap-Uliga-Darrit ❊ 75
Dalian 51
Dallas 59
Damas ❊ 51
Danemark ■ **41**, 94
Danube ● 41, 43, **45**, 47
Dardanelles 45
Darfour 69
Darling ● 75, **77**, 79
Darling (monts) 77
Davis (détroit de) 57, **61**
Dekkan (plateau du) **53**, 55
Delhi 51
Demavend (mont) 53
Detroit 59
Dhaka ❊ 51
Djakarta ❊ 51
Djerid (chott el-) ● 69
Djibouti ■ **65**, 95
Djibouti ❊ 67
Dniepr ● 41, 43, **45**, 47
Dniestr ● 41, **45**
Dodoma ❊ 67
Doha ❊ 51
Dominicaine (république) ■ **57**, 94
Dominique ■ **57**, 94
Don ● 41, 43, **45**
Douchanbe ❊ 51
Douro ● 40, **45**
Drakensberg **69**, 71
Dublin ❊ 43
Düsseldorf 43
Dvina ● **45**, 47
Èbre ● 40, 43, **45**
Égée (mer) 45
Égypte ■ **65**, 95
Elbe ● 41, **45**
Elbert (mont) 61
Elbrouz 45, **53**
Émirats Arabes Unis ■ **48**, 95
Équateur ■ **57**, 94
Erevan ❊ 51
Érié (lac) 61
Érythrée ■ **65**, 95
Esclave (Grand lac de l') 57, **61**
Espagne ■ **40**, 94
Essen 43
Estonie ■ **41**, 95
États-Unis d'Amérique ■ **57**, 94
Éthiopie ■ **65**, 95
Éthiopien (massif) **69**, 71
Etna 45
Euphrate ● 45, 48, **53**
Europe **40-41**, 43, 45, 47, 94-95
Européenne (union) 83a
Everest (mont) 53
Everglades (parc des) 63
Eyre (lac) 77
Falkland (îles) **57**, 61, 94
Féroé (îles) **40**, 45
Feu (terre de) **61**, 63
Fidji ■ **73**, 75, 77, 79, 95
Finlande ■ **41**, 95
Flinders (île) 79
Floride **61**, 63
Fongafale ❊ 75
Fortaleza 59
France ■ **40**, 94
Francfort-sur-le-Main 43
Freetown ❊ 67
Fuji-San 53
Gabon ■ **65**, 94
Gaborone ❊ 67
Galápagos (îles) **57**, 61, 94
Galhdøpiggen (mont) 45
Gambie ■ **64**, 94
Gange ● 49, **53**, 55
Garonne ● 40, **45**
Georgetown ❊ 59
Géorgie ■ **48**, 95
Ghana ■ **64**, 94
Gibraltar (détroit de) 40, **45**, 64, 69
Gibson (désert de) **77**, 79
Gobi (désert de) **53**, 55
Gongga Shan 53
Gora Chen 53
Gora Klyuchevskaya 53
Gran Chaco 61
Grand Bassin (désert du) 63
Grand Bassin Central 77
Grand Désert de Sable 75, **77**
Grand Erg 71
Grand Lac Salé 61
Grand Teton 63
Grande (Rio) ● 61
Grande-Bretagne 45
Grands Lacs 57
Grèce ■ **41**, 95
Grenade ■ **57**, 94
Grigny **43**
Groenland **57**, 59, 61, 63, 94
Guadalajara 59
Guadeloupe **57**, 94
Guam **72**, 75, 79, 95
Guangzhou 51
Guatemala ■ **57**, 94
Guatemala ❊ 59
Guinée ■ **64**, 94
Guinée-Bissau ■ **64**, 94
Guinée Équatoriale ■ **64**, 94
Guiyang 51
Guyana ■ **57**, 94
Guyane française **57**, 94
Guyanes (plateau des) **61**, 63
Hainan 53
Haïti ■ **57**, 94
Hambourg 43
Handan 51
Hangzhou 51
Hanoi ❊ 51
Harare ❊ 67
Harbin 51
Havane (La) ❊ 59
Hawaii **56**, 61, **73**, 75, 79, 94
Helsinki ❊ 43
Himalaya **53**, 55
Hô Chi Minh-Ville 51
Hoggar 69
Honduras ■ **57**, 94
Hong Kong 51
Hongrie ■ **41**, 95
Honiara ❊ 75
Horn (cap) 57, **61**
Houston 59
Huanghe ● 49, **53**, 55
Hudson (baie d') 57, 59, **61**, 63
Huron (lac) 61
Hyderabad 51
Ichim ● 53
Ienisseï ● 49, **53**, 55
Ifoghas (Adrar des) 69
Îles de la Société 73
Îles Gambier 73
Inchon 51
Inde ■ **49**, 53, 55, 95
Indien (océan) **38-39**, 49, 65, 72
Indochine **53**, 55
Indonésie ■ **49**, 53, 72, 77, 95
Indus ● 48, **53**, 55
Irak ■ **48**, 95
Iran ■ **48**, 95
Irlande ■ **40**, 45, 94
Irrawaddy ● 53
Irtych ● 49, **53**
Islamabad ❊ 51
Islande ■ **40**, 45, 47, 94
Ispahan 51
Israël ■ **48**, 95
Istán 43
Istanbul 43
Italie ■ **41**, 95
Izmir 51
Jahra 55
Jamaïque ■ **57**, 94
Jan Mayen 41
Japon ■ **49**, 53, 55, 95
Japon (mer du) 49, 51, **53**, 55
Jaune (mer) 49, 53
Java **49**, 53, 55
Jaya (pic) 77
Jérusalem 51
Jinan 51
Johannesburg 67
Jordanie ■ **48**, 95
Jura 45
K2 53
Kaboul ❊ 51
Kalahari 67, 69, **71**
Kampala ❊ 67

Le relief de la Terre

60 Monument Valley, États-Unis

44 Les Alpes, France

60 La Pampa, Argentine

44 Les Carpates, Roumanie

68 Le Sahara, Algérie

44 La Catalogne, Espagne

68 Le Kilimandjaro, Kenya

52 L'Everest, Népal

68 La région des Lacs, Rwanda

52 La baie d'Along, Viêt-nam

76 Treasure Island, Fidji

52 Le mont Fuji, Japon

76 Ayers Rock, Australie

60 La cordillère des Andes, Pérou

76 Le lac Wakatipu, Nouvelle-Zélande

LIBERIA
Monrovia
page 65

LIBYE
Tripoli
page 65

LIECHTENSTEIN
Vaduz
page 41

LITUANIE
Vilnius
page 41

LUXEMBOURG
Luxembourg
page 41

MACÉDOINE
Skopje
page 41

MADAGASCAR
Antananarivo
page 65

MALAISIE
Kuala Lumpur
page 49

MALAWI
Lilongwe
page 65

MALDIVES
Malé
page 49

MALI
Bamako
page 65

MALTE
La Valette
page 41

MAROC
Rabat
page 65

MARSHALL
Dalap-Uliga-Darrit
page 73

MAURICE
Port-Louis
page 65

MAURITANIE
Nouakchott
page 65

MEXIQUE
Mexico
page 57

MICRONÉSIE
(ÉTATS FÉDÉRÉS DE)
Palikir
page 73

MOLDAVIE
Chisinau
page 41

MONACO
Monaco
page 41

MONGOLIE
Oulan-Bator
page 49

MOZAMBIQUE
Maputo
page 65

NAMIBIE
Windhoek
page 65

NAURU
Yaren
page 73

NÉPAL
Katmandou
page 49

NICARAGUA
Managua
page 57

NIGER
Niamey
page 65

NIGERIA
Abuja
page 65

NORVÈGE
Oslo
page 41

NOUVELLE-ZÉLANDE
Wellington
page 73

OMAN
Mascate
page 49

OUGANDA
Kampala
page 65

OUZBÉKISTAN
Tachkent
page 49

PAKISTAN
Islamabad
page 49

PALAU
Koror
page 73

Palestine
(Territoires autonomes de)
page 49

PANAMÁ
Panamá
page 57

PAPOUASIE-NOUVELLE-GUINÉE
Port Moresby
page 73

PARAGUAY
Asunción
page 57

PAYS-BAS
Amsterdam
page 41

PÉROU
Lima
page 57

PHILIPPINES
Manille
page 49

POLOGNE
Varsovie
page 41

PORTUGAL
Lisbonne
page 41

QATAR
Doha
page 49

ROUMANIE
Bucarest
page 41

ROYAUME-UNI
Londres
page 41

RUSSIE
Moscou
page 41

RWANDA
Kigali
page 65

SAINT-CHRISTOPHE ET NIÉVÈS
Basseterre
page 57

SAINT-MARIN
Saint-Marin
page 41

SAINT-VINCENT ET LES GRENADINES
Kingstown
page 57

SAINTE-LUCIE
Castries
page 57

SALOMON (ÎLES)
Honiara
page 73

SALVADOR
San Salvador
page 57

SAMOA OCCIDENTALES
Apia
page 73

SÃO TOMÉ ET PRÍNCIPE
São Tomé
page 65

SÉNÉGAL
Dakar
page 65

SEYCHELLES
Victoria
page 65

SIERRA LEONE
Freetown
page 65

SINGAPOUR
Singapour
page 49

SLOVAQUIE
Bratislava
page 41

SLOVÉNIE
Ljubljana
page 41

SOMALIE
Muqdisho
page 65

SOUDAN
Khartoum
page 65

SRI LANKA
Colombo
page 49

SUÈDE
Stockholm
page 41

SUISSE
Berne
page 41

SURINAM
Paramaribo
page 57

SWAZILAND
Mbabane
page 65

SYRIE
Damas
page 49

TADJIKISTAN
Douchanbe
page 49

TAIWAN
Taibei
page 49

TANZANIE
Dodoma
page 65

TCHAD
N'Djamena
page 65

TCHÈQUE (RÉPUBLIQUE)
Prague
page 41

THAÏLANDE
Bangkok
page 49

TOGO
Lomé
page 65

TONGA
Nuku'alofa
page 73

TRINITÉ-ET-TOBAGO
Port of Spain
page 57

TUNISIE
Tunis
page 65

TURKMÉNISTAN
Achgabat
page 49

TURQUIE
Ankara
page 49

TUVALU
Fongafale
page 73

UKRAINE
Kiev
page 41

URUGUAY
Montevideo
page 57

VANUATU
Port-Vila
page 73

VATICAN
page 41

VENEZUELA
Caracas
page 57

VIÊT-NAM
Hanoi
page 49

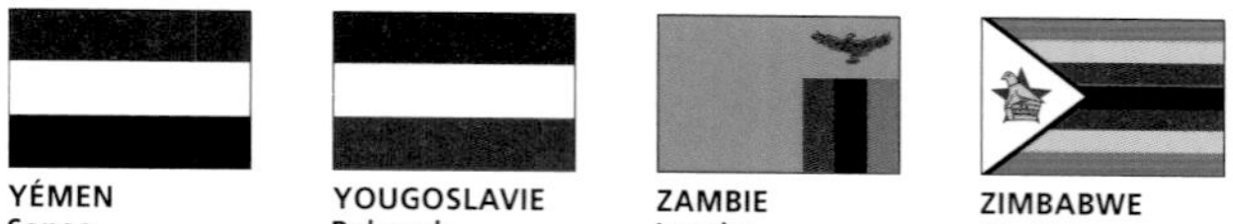

YÉMEN
Sanaa
page 49

YOUGOSLAVIE
Belgrade
page 41

ZAMBIE
Lusaka
page 65

ZIMBABWE
Harare
page 65

160° Ouest   120° Ouest   80° Ouest   40° Ouest

OCÉAN GLACIAL ARCTIQUE

80° Nord

Mer de
Beaufort

Mer des
Tchouktches

Groenland

Baie
de Baffin

Terre
Victoria

Terre de Baffin

Détroit de Béring

Cercle polaire arctique

Grand Lac
de l'Ours

Alaska

Islande

Mont McKinley
6 187 m

Yukon

Mackenzie

Grand Lac
de l'Esclave

Détroit de Davis

Mer
de
Béring

Golfe
d'Alaska

MONTAGNES ROCHEUSES

Bouclier canadien

Baie
d'Hudson

Mer du
Labrador

OCÉAN

Îles Aléoutiennes

Péninsule
du
Labrador

Terre-
Neuve

ATLANTIQUE

45° Nord

Missouri

Lac
Winnipeg

Lac
Supérieur

St-Laurent

G
Br

A

Lac
Huron

Man

Sierra
Nevada

Grand
Lac Salé

Lac
Michigan

Lac Ontario

Péninsule
CATALO
Ibérique

Mont Whitney
4 418 m

Mont Elbert
4 401 m

Lac Érié

APPALACHES

Détroit de Gibraltar

M

Colorado

MONUMENT VALLEY

Mississippi

Prairies

Floride

Djebel Toubkal
4 165 m

AT

É

Rio Grande

Plaine
du golfe

Tropique du Cancer

Hawaii

Popocatepetl
5 452 m

Yucatán

Golfe
du Mexique

Antilles

S

R

Sénégal

S

Cap Vert

Mer
des Caraïbes

I

Isthme
de Panamá

Orénoque

Plateau
des Guyanes

Équateur

0   1 000 km

Îles
Galápagos

Chimborazo
6 310 m

Amazone

Q

CORDILLÈRE DES ANDES

AMAZONIE

U

Lac
Titicaca

Plateau
Brésilien

OCÉAN

OCÉAN

E

Tropique du Capricorne

Gran
Chaco

Paraná

PACIFIQUE

ATLANTIQUE

Aconcagua
6 959 m

PAMPA

Rio de La Plata

45° Sud

Patagonie

Îles Falkland

Détroit de
Magellan

Terre de Feu

Cap Horn

OCÉAN GLACIAL ANTARCTIQUE

Cercle polaire antarctique

Mer de Wedell

ANTARCTIQUE

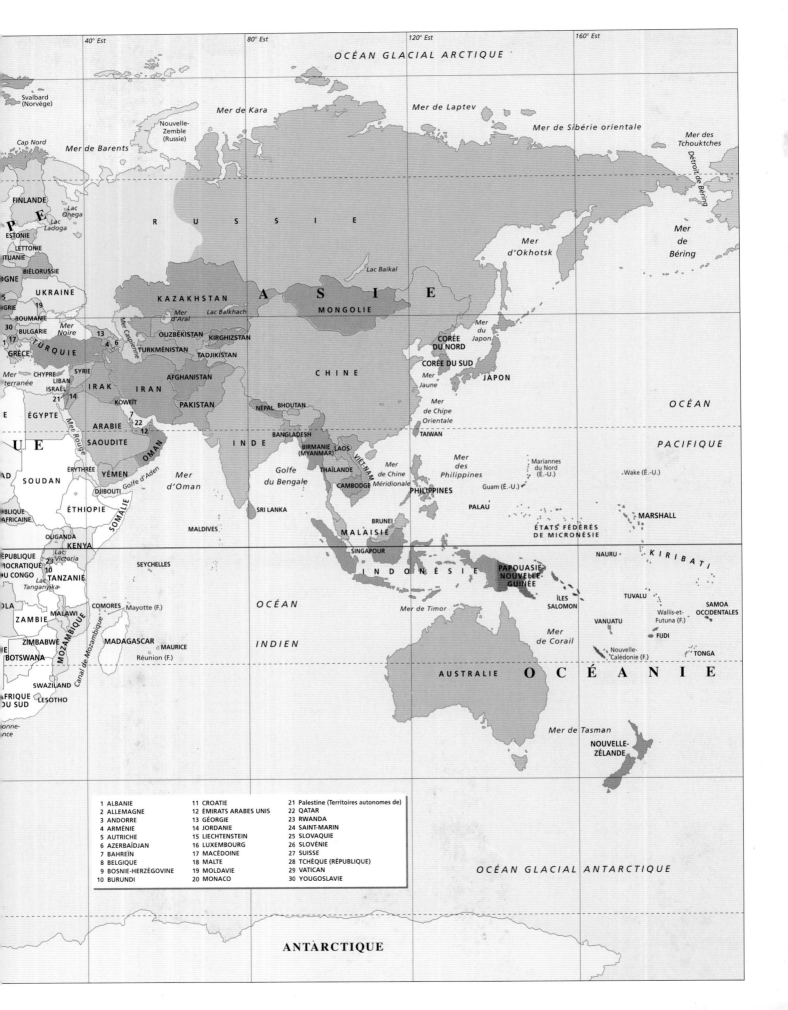

OCÉAN GLACIAL ARCTIQUE

40° Est   80° Est   120° Est   160° Est

Svalbard
(Norvège)

Mer de Kara   Mer de Laptev   Mer de Sibérie orientale   Mer des
Tchouktches

Cap Nord   Mer de Barents   Nouvelle-
Zemble
(Russie)

FINLANDE   Détroit de Béring

Lac
Onega
ESTONIE   Lac
Ladoga
LETTONIE   R   U   S   S   I   E   Mer
de
Béring
ITUANIE
OGNE   BIÉLORUSSIE   Mer
d'Okhotsk
5   UKRAINE   A   S   I   E
GRIE   19   KAZAKHSTAN   Lac Baïkal   Mer
du
Japon
BOUMANIE   Mer
d'Aral   Lac Balkhach   MONGOLIE
30   BULGARIE   Mer
Noire   CORÉE
DU NORD
1 17   OUZBÉKISTAN   KIRGHIZSTAN
GRÈCE   TURQUIE   13   Mer Caspienne   4 6   TURKMÉNISTAN   CORÉE
DU SUD   JAPON
TADJIKISTAN   CHINE   Mer
Jaune
Mer
terranée   CHYPRE   SYRIE   AFGHANISTAN
LIBAN   IRAK   IRAN   Mer
de Chipe
Orientale
ISRAËL   14   KOWEÏT   PAKISTAN   TAIWAN   OCÉAN
21   7   NÉPAL BHOUTAN
ÉGYPTE   22   ARABIE   12   BANGLADESH   PACIFIQUE
E   SAOUDITE   OMAN   INDE   BIRMANIE   LAOS   Mer
(MYANMAR)   des   Mariannes
du Nord
(É.-U.)   Wake (É.-U.)
AD   ÉRYTHRÉE   THAÏLANDE   VIÊT-NAM   Mer
de Chine   Philippines
SOUDAN   YÉMEN   Golfe d'Aden   Mer
d'Oman   Golfe
du Bengale   CAMBODGE   Méridionale   PHILIPPINES   Guam (É.-U.)
DJIBOUTI   PALAU
ÉTHIOPIE   SRI LANKA   BRUNEI   MARSHALL
BLIQUE
FRICAINE   SOMALIE   MALDIVES   MALAISIE   ÉTATS FÉDÉRÉS
DE MICRONÉSIE
OUGANDA   SINGAPOUR   NAURU   K I R I B A T I
PUBLIQUE   KENYA   Lac
Victoria   SEYCHELLES   I N D O N É S I E   PAPOUASIE-
NOUVELLE-
GUINÉE
OCRATIQUE   23   TUVALU
U CONGO   10   TANZANIE   ÎLES   SAMOA
Lac
Tanganyika   COMORES   Mayotte (F.)   OCÉAN   SALOMON   OCCIDENTALES
VANUATU   Wallis-et-
Futuna (F.)
OLA   ZAMBIE   MALAWI   Mer de Timor   FIDJI
INDIEN   Mer
de Corail   Nouvelle-
Calédonie (F.)   TONGA
ZIMBABWE   MADAGASCAR   MAURICE
E   BOTSWANA   Réunion (F.)   AUSTRALIE   O C É A N I E
onne-
nce   SWAZILAND   LESOTHO   Mer de Tasman
FRIQUE
U SUD   NOUVELLE-
ZÉLANDE

1 ALBANIE	11 CROATIE	21 Palestine (Territoires autonomes de)
2 ALLEMAGNE	12 ÉMIRATS ARABES UNIS	22 QATAR
3 ANDORRE	13 GÉORGIE	23 RWANDA
4 ARMÉNIE	14 JORDANIE	24 SAINT-MARIN
5 AUTRICHE	15 LIECHTENSTEIN	25 SLOVAQUIE
6 AZERBAÏDJAN	16 LUXEMBOURG	26 SLOVÉNIE
7 BAHREÏN	17 MACÉDOINE	27 SUISSE
8 BELGIQUE	18 MALTE	28 TCHÈQUE (RÉPUBLIQUE)
9 BOSNIE-HERZÉGOVINE	19 MOLDAVIE	29 VATICAN
10 BURUNDI	20 MONACO	30 YOUGOSLAVIE

OCÉAN GLACIAL ANTARCTIQUE

ANTARCTIQUE

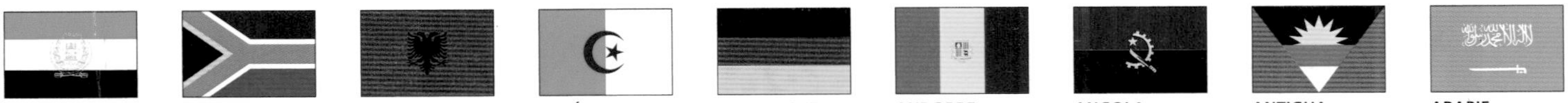

AFGHANISTAN Kaboul *page 49*

AFRIQUE DU SUD Pretoria *page 65*

ALBANIE Tirana *page 41*

ALGÉRIE Alger *page 65*

ALLEMAGNE Berlin *page 41*

ANDORRE Andorre-la-Vieille *page 41*

ANGOLA Luanda *page 65*

ANTIGUA ET BARBUDA Saint-John's *page 57*

ARABIE SAOUDITE Riyad *page 49*

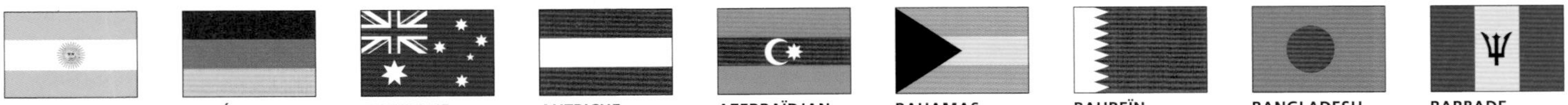

ARGENTINE Buenos Aires *page 57*

ARMÉNIE Erevan *page 49*

AUSTRALIE Canberra *page 73*

AUTRICHE Vienne *page 41*

AZERBAÏDJAN Bakou *page 49*

BAHAMAS Nassau *page 57*

BAHREÏN Manama *page 49*

BANGLADESH Dhaka *page 49*

BARBADE Bridgetown *page 57*

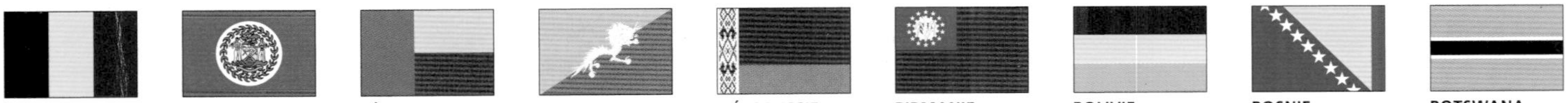

BELGIQUE Bruxelles *page 41*

BELIZE Belmopan *page 57*

BÉNIN Porto-Novo *page 65*

BHOUTAN Thimphu *page 49*

BIÉLORUSSIE Minsk *page 41*

BIRMANIE (MYANMAR) Rangoon *page 49*

BOLIVIE La Paz *page 57*

BOSNIE-HERZÉGOVINE Sarajevo *page 41*

BOTSWANA Gaborone *page 65*

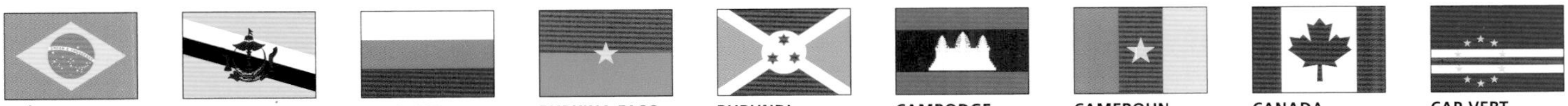

BRÉSIL Brasília *page 57*

BRUNEI Bandar Seri Begawan *page 49*

BULGARIE Sofia *page 41*

BURKINA FASO Ouagadougou *page 65*

BURUNDI Bujumbura *page 65*

CAMBODGE Phnom Penh *page 49*

CAMEROUN Yaoundé *page 65*

CANADA Ottawa *page 57*

CAP-VERT Praia *page 65*

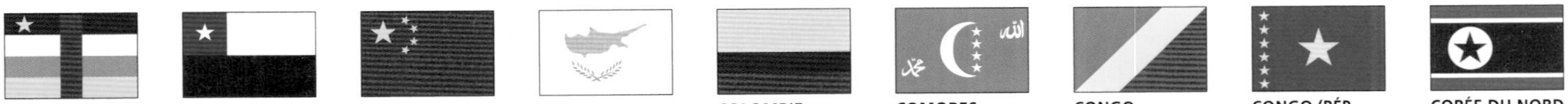

CENTRAFRICAINE (RÉPUBLIQUE) Bangui *page 65*

CHILI Santiago *page 57*

CHINE Beijing (Pékin) *page 49*

CHYPRE Nicosie *page 49*

COLOMBIE Bogotá *page 57*

COMORES Moroni *page 65*

CONGO Brazzaville *page 65*

CONGO (RÉP. DÉMOCRATIQUE DU) Kinshasa *page 65*

CORÉE DU NORD Pyongyang *page 49*

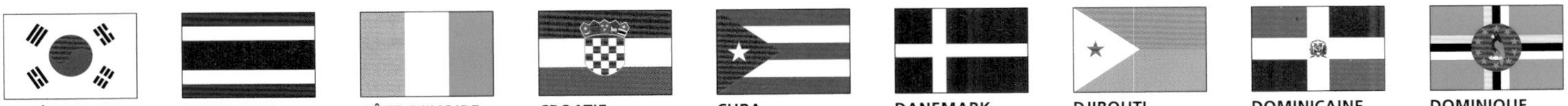

CORÉE DU SUD Séoul *page 49*

COSTA RICA San José *page 57*

CÔTE-D'IVOIRE Yamoussoukro *page 65*

CROATIE Zagreb *page 41*

CUBA La Havane *page 57*

DANEMARK Copenhague *page 41*

DJIBOUTI Djibouti *page 65*

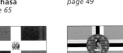

DOMINICAINE (RÉPUBLIQUE) Saint-Domingue *page 57*

DOMINIQUE Roseau *page 57*

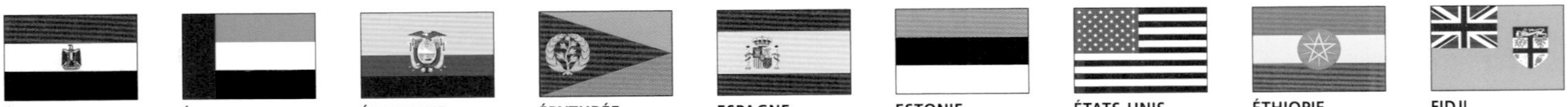

ÉGYPTE Le Caire *page 65*

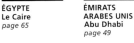

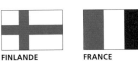

ÉMIRATS ARABES UNIS Abu Dhabi *page 49*

ÉQUATEUR Quito *page 57*

ÉRYTHRÉE Asmara *page 65*

ESPAGNE Madrid *page 41*

ESTONIE Tallinn *page 41*

ÉTATS-UNIS D'AMÉRIQUE Washington *page 57*

ÉTHIOPIE Addis-Abeba *page 65*

FIDJI Suva *page 73*

FINLANDE Helsinki *page 41*

FRANCE Paris *page 41*

GABON Libreville *page 65*

GAMBIE Banjul *page 65*

GÉORGIE Tbilissi *page 49*

GHANA Accra *page 65*

GRÈCE Athènes *page 41*

GRENADE Saint George's *page 57*

GUATEMALA Guatemala *page 57*

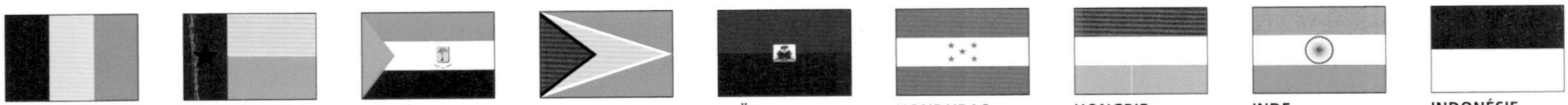

GUINÉE Conakry *page 65*

GUINÉE-BISSAU Bissau *page 65*

GUINÉE ÉQUATORIALE Malabo *page 65*

GUYANA Georgetown *page 57*

HAÏTI Port-au-Prince *page 57*

HONDURAS Tegucigalpa *page 57*

HONGRIE Budapest *page 41*

INDE New Delhi *page 49*

INDONÉSIE Djakarta *page 49*

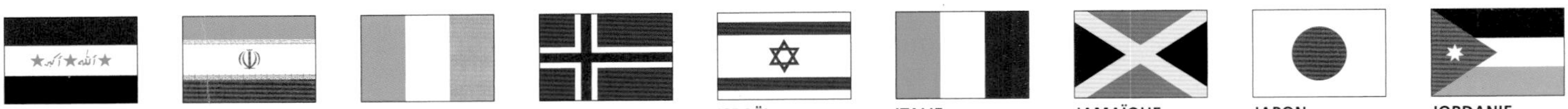

IRAK Bagdad *page 49*

IRAN Téhéran *page 49*

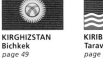

IRLANDE Dublin *page 41*

ISLANDE Reykjavik *page 41*

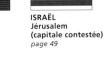

ISRAËL Jérusalem (capitale contestée) *page 49*

ITALIE Rome *page 41*

JAMAÏQUE Kingston *page 57*

JAPON Tokyo *page 49*

JORDANIE Amman *page 49*

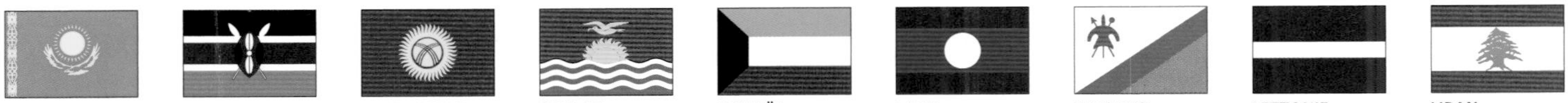

KAZAKHSTAN Astana *page 49*

KENYA Nairobi *page 65*

KIRGHIZSTAN Bichkek *page 49*

KIRIBATI Tarawa *page 73*

KOWEÏT Koweït *page 49*

LAOS Vientiane *page 49*

LESOTHO Maseru *page 65*

LETTONIE Riga *page 41*

LIBAN Beyrouth *page 49*

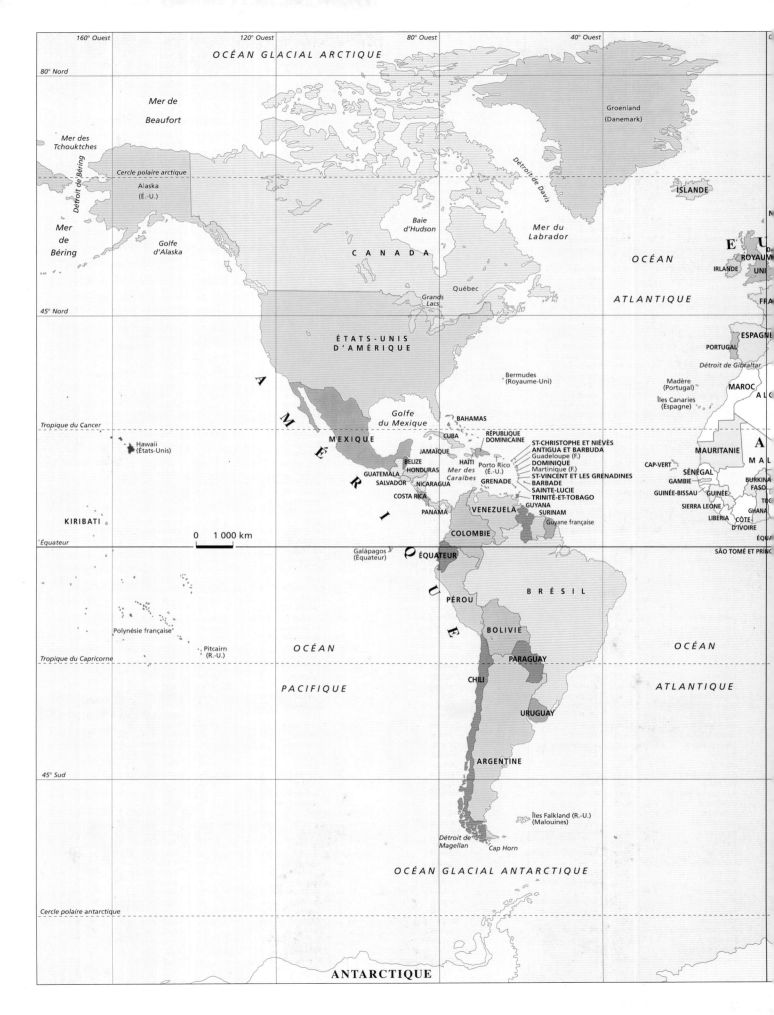